JETTATORE

Gregorio de Laferrère

JETTATORE

TERRAMAR
EDICIONES

Laferrère, Gregorio de
    Jettatore. - 1° ed.
    La Plata: Terramar, 2005.
    96 p.; 18 x 12 cm. (Clásica)

    ISBN 987-1187-23-8

    1. Teatro Argentino. I. Título
    CDD A862

© Terramar Ediciones
    Plaza Italia 187
    1900 La Plata
    Tel: (54-221) 482-0429

Diseño: Cutral
Tapa: Aymará Petrabissi

ISBN: 987-1187-23-8

ÍNDICE

DOÑA CAMILA
LEONOR
LUCÍA
ELVIRA
ÁNGELA
DON LUCAS
DON RUFO
CARLOS
ENRIQUE
DON JUAN
PEPITO
LUIS
BENITO

Sala elegante. Una mesa al centro con revistas y dia-
rios. Una chimenea o piano sobre el foro izquierda.
Un sofá sobre el foro derecha. Araña encendida.

ESCENA PRIMERA
CARLOS Y LUCÍA

CARLOS: Vamos, Lucía... de una vez. ¿Sí o no?

LUCÍA: Es que no me resuelvo, Carlos. ¿Y si se me conoce?

CARLOS: No seas tonta... ¿En qué se te puede conocer? Todo
es cuestión de un momento.

LUCÍA: ¡Si llegaran a descubrirnos!

CARLOS: ¡Pero no pienses en eso!... No es posible. Yo te aseguro que no nos van a descubrir. ¿Por qué imaginarte
siempre lo peor? Tengo todo preparado. Enrique estará
esperando en la esquina...

LUCÍA: No me animo, Carlos... Tengo miedo...

CARLOS: Bueno, lo que veo es que no te importa nada de
mí.

LUCÍA: No digas eso. Bien sabes que no es cierto.

CARLOS: Sin embargo, ahí está la prueba.

LUCÍA: Si no puedo querer a nadie que no seas tú. ¡Como si
no lo supieras!

CARLOS: Y entonces, mujer, ¿a qué vienen esas vacilacio-
nes? Resuélvete, rubia... Con un poco de valor estamos
del otro lado. ¿No ves que esto no puede seguir así?

LUCÍA: Siquiera se encontrase presente Leonor...

CARLOS: Es que no hay tiempo que perder. A tía ya la he

estado preparando toda la tarde. Y ahora le daré el último toque, mientras llega don Lucas...

LUCÍA: ¡Esa otra! Y ¿si no viene don Lucas?

CARLOS: Pero ¡qué cosas tienes! ¿Acaso falta alguna noche?

LUCÍA: Pero, pudiera ser que hoy...

CARLOS: Vamos, Lucía, no seas niña. Estás buscando pretextos para engañarte a ti misma. ¡Parece mentira mujer! *(Se sienten pasos.)*

LUCÍA: Ahí viene mamá. *(Vase corriendo primera izquierda.)*

ESCENA II

CARLOS Y DOÑA CAMILA

DOÑA CAMILA: ¿Por qué te has levantado de la mesa sin tomar el café? ¿Quieres que te lo haga servir aquí?

CARLOS: No, tía, no. Me quita el sueño...

DOÑA CAMILA: *(Se sienta.)* De un tiempo a esta parte te encuentro algo raro. ¿Qué tienes? ¿Estás enfermo? Tú debías venirte a dormir aquí. Estarías mejor cuidado...

CARLOS: No es para tanto. Me siento un poco nervioso y nada más. Es que tengo una gran preocupación...

DOÑA CAMILA: ¿Preocupaciones tú? Y ¿por qué?

CARLOS: ¡Vaya una pregunta! ¿Lo que le dije esta tarde le parece poco?

DOÑA CAMILA: ¡Cómo! Pero... ¿hablas en serio, muchacho?

CARLOS: ¡Ya lo creo!

DOÑA CAMILA: Mira que voy a creer que has perdido el juicio...

CARLOS: ¡Si lo que le digo es verdad! Don Lucas es "jettatore"...

DOÑA CAMILA: Pero... ¿qué es eso de "jettatore"? Porque

hasta ahora a todo lo que me has venido diciendo no le encuentro pies ni cabeza...

CARLOS: ¡Y, sin embargo, es muy sencillo! Los "jettatores" son hombres como los demás, en apariencia; pero que hacen daño a la gente que anda cerca de ellos... ¡Y no tiene vuelta! Si, por casualidad, conversa usted con un "jettatore", al ratito nomás le sucede una desgracia. ¿Recuerda usted cuando la sirvienta se rompió una pierna, bajando la escalera del fondo? ¿Sabe usted por qué fue? ¡Acababa de servirle un vaso de agua a don Lucas!

DOÑA CAMILA: ¡Vaya, tú te has propuesto divertirte conmigo! ¿Cómo vas a hacerme creer en una barbaridad semejante?

CARLOS: ¿Barbaridad? ¡Cómo se conoce que usted no sospecha siquiera hasta dónde llega el poder de esos hombres!... Vea... ahí andaba en las cajas de fósforos el retrato de un italiano que dicen que es "jettatore"... Pues a todo el que se metía una caja en el bolsillo... ¡con seguridad lo atropellaba un tranvía o se lo llevaba un coche por delante! ¡Y eso que no era más que el retrato! ¡Figúrese usted lo que será cuando se trate del individuo en persona!

DOÑA CAMILA: ¡Estás loco, loco de atar!

CARLOS: ¡Pero si todo el mundo lo sabe! ¿O usted cree que es una novedad? Pregúnteselo a quien quiera. Y le advierto que por el estilo los tiene usted a montones... Hay otro, un maestro de música, ¡que es una cosa bárbara! ¡Ese con solo mirar una vez, es capaz de cortar el dulce de leche! ¡Había de ver cómo le dispara la gente! Los que lo conocen, desde lejos nomás ya empiezan a cuerpearle, y si lo encuentran de golpe y no tienen otra salida, se bajan de la vereda como si pasara el presidente de la República... Vea... este mismo don Lucas (*cuernos*) sin ir más lejos...

DOÑA CAMILA: ¿Por qué haces así con los dedos? ¿Qué nueva ridiculez es ésa?

CARLOS: Cuando se habla de "jettatores", tía, hay que hacer así. Es la forma de contrarrestar el mal, de impedir que la "jettatura" prenda. Eso, tocar fierro y decir "cus cus", es lo único eficaz inventado hasta el presente...

DOÑA CAMILA: ¡Basta de majaderías! ¡Ya es demasiado!

CARLOS: Bueno, tía, yo no le digo más... Ya verá cómo con el tiempo se convence. Mientras tanto vaya observando... Esos dolores de cabeza que siente usted a cada rato, ¿a qué cree que se deben? ¡A las visitas de don Lucas, pues! Viene, la mira, y, ¡zas!, ¡dolor de cabeza a la fija! *(Doña Camila se ríe.)* ¡No se ría! ¿No ha notado que el dolor se le produce siempre después de haber hablado con él? ¡Fíjese y verá!

DOÑA CAMILA: Lo que yo puedo decirte es que nunca me convencerás de que por puro gusto va a causar daño don Lucas, ¡tan bueno como es él!...

CARLOS: ¡Si es ahí, precisamente, donde está su confusión! Si no es por su gusto que hacen daño los "jettatores"... Y la mayor parte de las veces, ni siquiera se dan cuenta de lo que son; lo hacen porque sí, porque para eso nacieron y no lo pueden remediar... Un escritor francés cuenta la historia de uno muy famoso que tuvo que arrancarse los ojos, porque estaba matando a la novia a fuerza de mirarla. ¡Qué quiere, tía! Son desgracias que manda Dios, y contra lo que Dios manda nada se puede hacer...

DOÑA CAMILA: ¡No seas borrico! Es una herejía lo que estás diciendo, ¡y Dios te puede castigar!

CARLOS: ¡Pero si es más conocido que la ruda! Y lo único que hay aquí de extraño es que todavía no nos haya alcanzado a todos la influencia dañina de ese hombre...

ÁNGELA: *(Por foro.)* Señora, está el señor don Lucas. *(Mutis.)*

CARLOS: *(Saca una llave.)* ¡Toque fierro, tía, toque fierro!

DON LUCAS: Buenas noches, señora...

DOÑA CAMILA: Adelante, don Lucas. *(Aparte.)* ¿Quieres callarte?

CARLOS: *(Aparte.)* ¡Por lo menos haga cuernos!

DON LUCAS: ¡Qué milagro, tan solos!... Y a usted, buen mozo, ¿cómo le va? *(Carlos mutis.)*

ESCENA IV
DOÑA CAMILA, DON LUCAS; LUEGO LUCÍA Y CARLOS

DON LUCAS: *(Con extrañeza.)* ¿Qué le pasa a este muchacho?

DOÑA CAMILA: No le haga caso, don Lucas, el pobre no sabe lo que hace...

DON LUCAS: Pero es que yo...

DOÑA CAMILA: Está enfermo... está contrariado... hay que disculparlo... Pero, dejemos eso, no vale la pena... Siéntese. *(Se sientan.)* Juan lo ha estado esperando hasta hace un momento. Salió para el club, prometiéndome volver enseguida... Como está tan cerquita... Entretanto, con su permiso, voy a hacer que avisen a las muchachas. *(Se levantan.)*

DON LUCAS: Un instante, señora. Necesito conversar a solas con usted y ninguna ocasión más propicia...

DOÑA CAMILA: Con mucho gusto, don Lucas... *(Se sientan.)*

DON LUCAS: Lo que tengo que decir a usted, señora, es muy delicado; se trata de algo que tendrá una influencia decisiva en el resto de mi vida; y podría agregar que mi felicidad depende en gran parte del resultado de esta conversación. *(En este momento, Carlos y Lucía se asoman segunda izquierda.)* Voy a tratar de ser lo más conciso posible. Usted sabe, señora, que soy soltero y que poseo medios de fortuna suficientes para poder disfrutar de las ventajas de una posición desahogada. Si hasta ahora he sido refractario a los halagos del matrimonio... es porque no había encontrado en mi camino a la mujer con que soñaba para compañera de mi vida...

CARLOS: *(A Lucía.)* ¡Apareció aquello!

DON LUCAS: Esa mujer, creo haberla hallado al fin: es Lucía... Y he resuelto solicitar de usted su mano para hacerla mi esposa...

LUCÍA: *(A Carlos.)* ¡Ahora sí que soy capaz de todo!

DOÑA CAMILA: Debo confesar, don Lucas, que no me sorprende lo que acabo de oírle. Hace tiempo que, tanto Juan como yo, habíamos comprendido sus intenciones respecto de nuestra hija Lucía, considerándonos honrados con una elección que satisface nuestras aspiraciones. *(Siguen la conversación en voz baja.)*

CARLOS: Llegó el momento... ¿Estás resuelta?

LUCÍA: ¡Completamente!

CARLOS: Entonces voy a prevenir a Enrique. No olvides nada de lo que te tengo dicho. *(Mutis foro.)*

LUCÍA: Pierde cuidado. *(Sigue escuchando.)*

DON LUCAS: No sé cómo agradecer esos conceptos, señora...

DOÑA CAMILA: Son merecidos, don Lucas.

DON LUCAS: Muchas gracias... Debo advertirle que hasta ahora nada he dicho a Lucía... No me he atrevido... Es tan niña... tan ingenua... ¿No teme usted que podamos encontrar de parte de ella alguna dificultad?

DOÑA CAMILA: ¡Oh, no! En ese sentido puede usted estar tranquilo: Lucía no opondrá nunca resistencia a una resolución de sus padres. *(Mutis Lucía.)* Nos quiere demasiado y sabe que no buscamos sino su bien... Con su permiso, voy a llamarla. *(Mutis.)*

ESCENA V
DON LUCAS

DON LUCAS: La chica me conviene... Es buena, bonita, y mucho me sospecho que no debo de serle del todo indiferente... Y ¿por qué no? ¡Vamos a ver! ¿Qué tendría de particular? No soy tan mal parecido que digamos... Por lo menos, siempre se me ha dicho que había en mi persona no sé qué de atrayente que gustaba a las mujeres... No seré un muchacho convenido; pero tampoco se puede decir que sea un viejo, ¡qué diablos!

ESCENA VI
DICHO, DOÑA CAMILA, ELVIRA Y LUCÍA

ELVIRA: Buenas noches, don Lucas. No habíamos venido antes por no saber que estaba usted aquí.

DON LUCAS: *(Dándole la mano.)* Tanto gusto, Elvirita. ¿A que si se tratara de otra persona que yo conozco, lo hubiera adivinado usted? ¿A que sí?

ELVIRA: Se equivoca. Lo mismo sería.

DON LUCAS: Eso sí que no lo creo. *(La mano.)* Buenas noches Lucía...

LUCÍA: Mamá... mamá..., no sé lo que tengo, siento un mareo muy raro.

DOÑA CAMILA: ¿Qué dices? *(Don Lucas se acerca; Lucía, al verlo, da un grito.)*

LUCÍA: ¡No me toque, don Lucas! ¿Qué tiene usted en las

manos? ¡Parecen de fuego! ¡Me ha quemado usted al tocarme!

DON LUCAS: ¡¡Yo!!

DOÑA CAMILA: Pero hija, ¿qué te pasa?

ELVIRA: ¿Qué sientes, Lucía?

LUCÍA: No sé... algo muy extraño... ¡Ay! ¡La habitación da vueltas a mi alrededor!... ¡Yo me muero!

DOÑA CAMILA: *(Sosteniéndola.)* ¡Qué es esto, Dios mío! ¡Pronto, un médico! ¡Llame usted, don Lucas! ¡Corre, Elvira! ¡Que traigan un médico! *(Don Lucas toca un timbre que está sobre la mesa, el cual no suena.)*

DON LUCAS: ¡Se ha descompuesto!

ELVIRA: ¡Ángela! ¡Ángela! ¡Benito!

DOÑA CAMILA: ¡Se ha desmayado! ¡Alcánceme una silla! ¡Ligero! ¡No puedo más! *(Elvira mutis.)*

DON LUCAS: *(Acercando una silla.)* Siéntela aquí, señora...

DOÑA CAMILA: No vuelve en sí, ¡tiene los dientes apretados!

DON LUCAS: *(Corre de un lado para otro.)* Habría que darle agua. *(En el foro.)* No viene nadie... ¡Benito! Espérese, voy a ver...

DOÑA CAMILA: ¡No se vaya!... ¡No me deje sola!... Parece que no respira...

DON LUCAS: No se aflija, señora... Nada hace con afligirse... esto pasará...

ESCENA VII
DICHOS, CARLOS, ELVIRA, ÁNGELA Y BENITO

CARLOS: ¿Qué sucede? ¿Por qué gritan? ¡Lucía! ¿Qué tiene Lucía?

DOÑA CAMILA: ¡Carlos, pronto, un médico! Don Lucas, haga el favor, vaya usted y avise a Juan en el club.

DON LUCAS: Voy enseguida, señora. *(Mutis foro.)*

CARLOS: ¡Empezaron las desgracias! ¡Esto tenía que suceder al fin!

DOÑA CAMILA: ¡Corre, Carlos!... ¡Apúrate, por Dios! ¡Pronto, por favor!

CARLOS: Allá voy, tía. *(Mutis Carlos y Benito foro.)*

ÁNGELA: Parece que vuelve en sí... Vea, ya abre los ojos...

DOÑA CAMILA: No la sofoquen, necesita aire.

LUCÍA: ¿Dónde estoy? ¿Qué quiere decir esto? Mamá... Elvira... ¡Ah, sí! ¡Esas manos! ¡Esas manos! ¡Parecían de fuego!

ÁNGELA: Pobre niña... está delirando...

DOÑA CAMILA: Tranquilízate... no es nada... No estén tan encima... ¡le quitan el aire! Vamos a llevarla... Ve y enciende luz. *(Ángela mutis.)*

LUCÍA: ¡Tengo el pecho oprimido!...

DOÑA CAMILA: *(Conduciéndola.)* Despacio, sin fatigarte... apóyate en mí...

ELVIRA: ¿Estás más aliviada?

LUCÍA: Siento una especie de angustia.

DOÑA CAMILA: ¡Que Dios nos ayude! Despacio, hija, sin fatigarte. *(Hacen mutis.)*

ESCENA VIII
CARLOS Y ENRIQUE; LUEGO ÁNGELA Y DOÑA CAMILA

ENRIQUE: Fíjate en lo que vamos a hacer. ¡Esto es una barbaridad!

CARLOS: Silencio, pueden oírte...

ENRIQUE: Pero, ¿y las consecuencias? ¿Calculas las consecuencias?

CARLOS: ¿Y ahora me vienes con eso? Cállate... Alguien se

acerca... *(Entra Ángela.)* Avísale a la señora que aquí está el médico. *(Mutis Ángela.)*

ENRIQUE: Contigo no se puede razonar... Todo lo haces atropelladamente... ¡Mira que querer hacerme pasar por médico!...

CARLOS: Enrique, es mi felicidad la que voy jugando en la partida, y ya no retrocedo ni miro para atrás...

ENRIQUE: Sí, pero si esta farsa...

CARLOS: Silencio... siento pasos... Sí, doctor, tal cual se lo refiero a usted... Ha sido una indisposición muy extraña. *(Entra doña Camila.)* El señor es médico. Lo he encontrado casualmente en la botica de la esquina...

DOÑA CAMILA: Pasemos por aquí, doctor. Ha recobrado el conocimiento y la dejé acostada... ¿Cree usted que puede ser algo grave?

ENRIQUE: Dentro de un momento se lo diré a usted, señora. *(Hacen mutis los tres.)*

ESCENA IX
DON JUAN Y DON LUCAS (POR FORO)

DON JUAN: Entonces, ¿fue repentino?

DON LUCAS: Repentino... Pero tranquilícese usted...

DON JUAN: ¡Esa chica es tan nerviosa!... Vuelvo enseguida... *(Mutis.)*

DON LUCAS: Aquí espero... ¡Qué contratiempo! ¡Tan luego esta noche! Pero ¡qué impresión tan rara le produjeron mis manos! "Tiene usted las manos que parecen de fuego", me dijo. ¡Es curioso el efecto! ¿A qué podrá responder?

DON LUCAS: ¿Cómo sigue la señorita?

ÁNGELA: Está más aliviada, señor...

DON LUCAS: Pero, dime... ¿ha tenido otras veces ataques parecidos a éste?

ÁNGELA: Que yo sepa, no... Por lo menos, es la primera vez que yo la veo así...

DON LUCAS: ¿No ha venido todavía el médico?

ÁNGELA: Sí, señor. Está adentro uno que encontró el señor Carlos en la calle.

DON LUCAS: Y ¿qué dice?

ÁNGELA: Que no es de cuidado. *(Pausa.)*

DON LUCAS: Oye, muchacha; acércate... dame la mano.

ÁNGELA: ¿Mi mano?

DON LUCAS: Sí, trae para acá... ¿Qué sientes?

ÁNGELA: Nada, señor...

DON LUCAS: ¿Tengo fría o caliente la mano?

ÁNGELA: Yo no sé...

DON LUCAS: ¿Cómo que no sabes? ¿La encuentras caliente o fría?...

ÁNGELA: Más bien caliente...

DON LUCAS: ¿Muy caliente?

ÁNGELA: Bastante...

DON LUCAS: ¡Demonio, demonio! ¿Qué será esto? Puedes retirarte. *(Vase Ángela.)*

Escena XI
Don Lucas y Don Juan (entra)

Don Juan: Un susto y nada más, amigo don Lucas. Ahí está el médico. Dice que es cuestión del sistema nervioso y que no hay por qué alarmarse...

Don Lucas: ¡Vaya, hombre! ¡Cuánto me alegro! Le confieso que estaba intranquilo. ¡Tan luego esta noche! Amigo don Juan, su señora lo enterará de algo que hemos conversado respecto a Lucía.

Don Juan: Sospecho de lo que se trata. Sabe usted que en esta casa se le recibe siempre con gusto...

Don Lucas: Muchas gracias. Me retiro; pero volveré más tarde en busca de noticias. Hasta luego. *(Medio mutis, por foro. Se dan la mano.)*

Don Juan: Hasta luego, don Lucas.

Don Lucas: *(Volviendo.)* Diga, don Juan, ¿no me ha notado algo de extraño en las manos?

Don Juan: ¿En las manos?... No. ¿Por qué?

Don Lucas: Nada... nada... preocupaciones mías, nomás. *(Mutis por foro.)*

Don Juan: ¡Vaya una ocurrencia! *(Mutis izquierda.)*

Escena XII
Carlos

Carlos: *(Saliendo por izquierda.)* Todo marcha a las mil maravillas. ¡Este Enrique, aunque no es médico, merecería serlo! ¡Ahí lo dejo perorando como si supiera! Charla hasta por los codos y no se deja interrumpir por nadie. *(Voces dentro.)* Ahí vienen... ¡Ahora hay que dar el gran golpe!... ¡Es necesario reventar al "jettatore"! ¡El "jettatore"! ¡Y lo mejor es que hasta yo mismo voy a concluir por creerlo!

ENRIQUE: Estos ataques son frecuentes en los temperamentos nerviosos. He tenido ocasión de observar en las clínicas europeas infinidad de casos parecidos, y me he preocupado de estudiarlos preferentemente en sus múltiples y variadas manifestaciones. Charcot, el gran Charcot en su *Traité sur les maladies nerveuses*, ha hecho de ellos una clasificación minuciosa y en extremo interesante. Éste es de los más simples y el tratamiento indicado es el reposo absoluto. No puede ofrecer complicaciones de ningún género, y después de algunas horas volverá la enferma a su estado normal, desapareciendo la alteración nerviosa que experimenta en estos instantes...

DOÑA CAMILA: ¿Y cree usted, doctor, que puede repetirle?

ENRIQUE: No lo espero, señora.

CARLOS: Pues yo sí lo espero.

ENRIQUE: ¿Usted? ¿Es usted médico?

CARLOS: No, señor, no soy médico... Pero tengo mis razones especiales para afirmar lo que digo.

DON JUAN: ¿Tú?

ENRIQUE: Y ¿se puede saber cuáles son esas razones?

CARLOS: Yo no debo callar, ¡sería un crimen dejar de decir lo que sé! La responsabilidad de lo que pudiera ocurrir más tarde, caería por entero sobre mí...

DON JUAN: ¿Qué estás diciendo?

CARLOS: ¡Ah!, esto no es sino el principio de muchas otras desgracias que vendrán después... ¡Estamos perdidos, completamente perdidos!

ENRIQUE: No comprendo... Pero, ante todo, cálmese usted, amigo mío.

DON JUAN: Explícate, muchacho. ¿Qué quieres decir?

CARLOS: Dígame, doctor, ¿cree usted en la "jettatura"? ¿Cree usted en los "jettatores"?

ENRIQUE: ¿Por qué me hace usted esa pregunta?

CARLOS: Conteste usted, ¡se lo suplico! Diga la verdad; ¿cree usted en la "jettatura"?

ENRIQUE: Yo...

DON JUAN: Pero, ¿qué significa esto? ¿Quieres decirme?

CARLOS: ¡Ah!... ¡Usted cree, doctor! Usted cree... ¡no lo niegue!

DON JUAN: Pero, ¿te has vuelto loco?

ENRIQUE: Le diré a usted... Yo, un hombre de ciencia, debería temer el ridículo, confesando lo que bien puede ser considerado como una simple debilidad de mi parte; pero, ya que me hace usted esa pregunta en términos tan categóricos, voy a contestarle con toda lealtad... Sí, señor... ¡creo en la "jettatura"!

DOÑA CAMILA: ¿Es posible?

ENRIQUE: *(Con énfasis.)* Creo que existen ciertos hombres que poseen la terrible propiedad de sembrar a su paso la desgracia. Creo en el poder maléfico de algunos seres que han nacido para ocasionar el mal y que lo producen contra su propia voluntad y contra sus propios impulsos, ejercitando esa influencia en una forma inconsciente e irresponsable. Creo en una fuerza misteriosa que la ciencia no explica y que sin embargo existe... y creo en ella amigo mío, porque la he visto manifestarse, en infinidad de circunstancias, de una manera tan evidente, tan indiscutible, que ha concluido por imponer en mi espíritu la convicción profunda que hoy no tengo reparo en confesar.

DON JUAN: Pero, ¿estoy soñando? ¿Todo eso es serio?

CARLOS: ¡Ahí tienen ustedes! ¡Ahí tiene usted, tía, lo que yo le venía diciendo sin ser creído! El señor, un hombre de ciencia, probablemente un sabio. *(Enrique se incli-*

na.) ¡Cree en la "jettatura" y ha visto "jettatores"! *(Se pasea agitado.)*

DOÑA CAMILA: No grites, Carlos, que vas a asustar a Lucía...

DON JUAN: Pero, ¿me explicarás por qué vienen todas estas historias, que me están quemando la sangre?

CARLOS: Dígame usted, doctor, ¿acepta usted la posibilidad de que la presencia de un "jettatore" sea causa bastante para provocar un ataque como el que ha experimentado mi prima Lucía?

ENRIQUE: Sí, señor... la acepto, más aún: afirmo el hecho como perfectamente posible.

CARLOS: ¡Ahí está la prueba! ¡Es lo que yo decía! ¡Estamos perdidos! *(Vuelve a pasear agitado.)*

DON JUAN: ¿Te has propuesto exasperarme? ¿Me dirás al fin qué lío es éste? ¿Quién es ese "jettatore" que puede haber enfermado a Lucía? ¿Por qué estamos perdidos?

CARLOS: ¡Es verdad que usted no sabe! Ese "jettatore" es...

DOÑA CAMILA: Cállate, Carlos... ¡no nombres a nadie!

CARLOS: *(Dándole una llave.)* Tome, tío... toque fierro. El "jettatore" es...

DOÑA CAMILA: Cállate, Carlos... ¡por favor!

DON JUAN: ¿Hablarás, por mil demonios?

CARLOS: ¡El "jettatore" es don Lucas!

DON JUAN: ¿Qué? ¿Qué dices? ¿Has perdido el juicio?

CARLOS: No, tío, no... es la verdad; yo tengo que decirlo para impedir nuevas desgracias. ¡Don Lucas es "jettatore"!

DON JUAN: ¡Basta de disparates! Ni una palabra más, ¿entiendes? ¡Ni una palabra!

CARLOS: ¡Es la verdad, tío, es la verdad!

DON JUAN: Te ordeno que te calles, insensato, te prohíbo que...

ENRIQUE: Disculpe, señor: yo me retiro. Sería indiscreto de mi parte penetrar en las intimidades de ustedes.

DON JUAN: Perdone, doctor, tan ridícula escena. Este atolondrado ha conseguido sacarme de quicio. Es una iniquidad lo que dice: ¡tiene que estar loco!

ENRIQUE: He tenido una satisfacción en haber podido prestar a ustedes este pequeño servicio profesional. Soy el doctor... Salvatierra, y quedo a las órdenes de ustedes.

DON JUAN: Le quedamos muy agradecidos, doctor, y desearía saber si tendremos el gusto de volverlo a ver.

ENRIQUE: Sí, señor; mañana visitaré nuevamente a la enferma al solo efecto de dejar comprobado mi diagnóstico de esta noche.

DON JUAN: Otra vez, muchas gracias y hasta mañana. *(Mutis Enrique por foro. A Carlos.)* ¿Me explicarás ahora las enormidades que acabas de decir?

CARLOS: ¡La "jettatura"! ¡Ha entrado en esta casa la "jettatura"! *(Mutis.)*

DON JUAN: ¿Eso es todo lo que tienes que contestar? *(A doña Camila.)* Pero, ¿me dirás, al fin, lo que hay, mujer?

DOÑA CAMILA: Yo no sé, Juan... Cosas muy extrañas... Vamos a ver a Lucía y después conversaremos...

DON JUAN: Pero...

DOÑA CAMILA: Vamos, Juan, vamos... *(Mutis.)*

ESCENA XIV

PEPITO Y ÁNGELA, POR FORO; A POCO, CARLOS

PEPITO: ¿Fue enseguida de comer, entonces?

ÁNGELA: Sí, señor... al ratito de levantarse de la mesa. ¡Si viera usted qué alboroto!

PEPITO: ¿Dónde están tus patrones?

ÁNGELA: Deben de estar en el cuarto de la niña.

PEPITO: ¿Y Elvira?

ÁNGELA: La niña Elvira también. ¿Quiere que les avise que está usted?

PEPITO: ¿Dónde anda Carlos?

ÁNGELA: Hace un momento lo vi cruzar por las galerías... No sé si habrá salido a la calle. Voy a ver. *(Aparece Carlos.)* Aquí está. *(Mutis Ángela.)*

ESCENA XV

PEPITO Y CARLOS

PEPITO: Pero, ¿qué sucede?

CARLOS: ¡La pobre Lucía!

PEPITO: Y ¿qué es lo que tiene, al fin?

CARLOS: Vea, Pepito... a usted lo considero como de la familia y no le voy a andar con tapujos... Pronto será usted el marido de Elvira y tiene derecho a saber la verdad de lo que ocurre. El asunto es un poco delicado... pero... de todos modos cumplo con un deber de conciencia...

PEPITO: Concluya usted, me tiene en ascuas; ¡mire que soy muy nervioso! ¿Es tan grave lo que tiene que decirme?...

CARLOS: Para mí sí lo es, y supongo que también lo será para usted... En una palabra, ¿cree usted en la influencia de los "jettatores"? *(Pepito hace cuernos.)*

PEPITO: Y ¿cómo no he de creer? ¡Bueno fuera!

CARLOS: Pues amigo, lo que hay, en plata, dejando rodeos a un lado, es que se nos ha metido un "jettatore" dentro de esta casa...

PEPITO: ¡Caracoles! ¿Qué es lo que usted dice?

CARLOS: Lo que usted oye... Hay entre nosotros un "jettatore" que está haciendo de las suyas y que se ha propuesto jugarnos a todos una mala partida...

PEPITO: ¡Pronto, dígame usted quién es!... ¡Dígame!

CARLOS: Don Lucas.

PEPITO: ¿Don Lucas? ¡No diga! ¿Está usted seguro?

CARLOS: ¡Segurísimo!

PEPITO: Pero ¡es claro! ¡Si debía habérmelo imaginado antes! ¡Cómo no! Así me explico muchas cosas, ¡es evidente! ¡El miércoles me acompañó hasta la puerta del club y esa noche tuve un metejón bárbaro!

CARLOS: ¿Ah, sí? ¡No le digo!

PEPITO: Fue un caso clavado de "jettatura". A cuatro reyes, me ligaron cuatro ases... y en un pozo que nadie abrió, pasé un royal de mano por no mirar las cartas...

CARLOS: ¡Ya ve usted si tengo razón!

PEPITO: (Caminando.) ¡Pero si no hay duda! ¡Tiene usted razón que le sobra! ¡Ese hombre es "jettatore", sin vuelta! ¡Si desde entonces estoy con una racha negra que me tiene loco!

CARLOS: Vea lo que son las cosas, ¿eh? ¡Y usted sin sospecharlo!

PEPITO: Y ahora recuerdo... Otra vez que me acompañó hasta mi casa, casi me mata el tranvía por el camino. ¡Qué barbaridad! ¡Y yo que estaba desprevenido!

ESCENA XVI
DICHOS Y ELVIRA (POR IZQUIERDA)

ELVIRA: ¡Muy bien lo ha hecho usted! ¿Por qué no encargó a la sirvienta que avisara? Por casualidad he sabido que estaba usted aquí.

PEPITO: Conversábamos con Carlos de algo que es muy grave, gravísimo...

ELVIRA: ¿Gravísimo? Y, ¿se puede saber de qué?

PEPITO: ¿Por qué no? ¡Hablábamos del "jettatore"! (Cuernos.) ¿Qué me dice?

ELVIRA: ¿Cómo del "jettatore"? ¿Usted también?

CARLOS: Es que Elvira no se da cuenta de lo que está pasando. Como no entiende de estas cosas. Es bueno que usted la ponga al corriente.

PEPITO: ¿De veras? Pues le prevengo, Elvira, que éste es un asunto mucho más serio de lo que puede usted imaginarse. ¡Es algo terrible!

ELVIRA: ¡Me está usted asustando! ¡Explíquese!

PEPITO: Pero, ¿cómo? ¿Todavía necesita usted explicaciones? ¿No es bastante con lo ocurrido esta noche a su hermana? ¿Qué más explicaciones quiere?

CARLOS: Éstas se empeñan en no creerme a mí. Pero supongo que no vas a dudar también de lo que te diga Pepito...

ELVIRA: ¡Es que a ti no se te puede tomar atadero! Entonces, ¿es cierto?

PEPITO: ¡Ciertísimo!

ELVIRA: ¿Don Lucas hace daño cuando mira?

PEPITO: ¡Es "jettatore"!... Hace daño cuando mira, cuando habla, cuando toca, cuando camina, ¡siempre!

ELVIRA: ¡Qué cosa más rara!

CARLOS: ¡Hay que emprender una campaña para impedir los estragos que puede causar ese hombre en el seno de esta familia! *(Camina.)*

PEPITO: ¡Ya lo creo! Cuente en todo y por todo conmigo. A un "jettatore" no le doy la mano por nada de este mundo. *(Dándole la mano a Carlos.)*

CARLOS: En lo que hace usted muy bien. Siempre lo he dicho: ¡es una imprudencia, una verdadera botaratada!

PEPITO: ¡Oh!, ¡es que a mí me cuestan caro! ¡Si usted viera! ¿Se acuerda usted de aquella yegüita alazana que tenía yo en mi stud, Alaska?... ¿una de patas blancas, hace tres años?

CARLOS: Sí, cómo no...

PEPITO: Era un animal sobresaliente. Llevaba ganadas seis

carreras en dos meses, y tenía grandes probabilidades de ganar el Premio Nacional. Un día, poco antes de salir a la pista y mientras estaba dando instrucciones al jockey, se me acerca en el *paddock* un "jettatore" muy conocido y palmeándola me dice: "¡Qué linda está! ¡Por supuesto que va a una fija!" ¡Tuve tentaciones de ahogarlo, amigo! ¡Un momento después corre la yegua y a los quinientos metros, rueda! ¡Hágame usted el favor!

CARLOS: ¡Natural, natural!

ELVIRA: ¡Qué espanto! ¡Me da usted miedo! ¿Nada más que por haberla tocado?

PEPITO: Así... apenas con la palma de la mano. ¡Si con cualquier cosa les basta!

CARLOS: *(Aparte.)* ¡Éste es un tipo impagable, un gran elemento! *(Alto.)* ¡Cuéntemelo usted a mí, Pepito!...

PEPITO: ¡Si me habrán perjudicado en esta vida los "jettatores"! ¡También les tengo una tirria! ¡Uff!... ¡Es que es una canallada, amigo, la que cometen esos hombres! Reventando a todo el mundo ¡y tan frescos! ¡Como si hicieran una gracia!... El que es "jettatore" no debía andar entre gentes. ¿Cómo no comprende que no tiene el derecho de proceder así? Muchas veces he pensado que si algún día llegara a ser presidente de la República les mandaba aplicar otra ley de residencia.

CARLOS: ¡Es claro! Por lo menos una patente fuerte; cien mil pesos, por ejemplo...

ESCENA XVII
DICHOS Y DON RUFO

DON RUFO: *(Por foro.)* ¡Buenas noches! ¿Qué quiere decir esta soledad? En toda la casa no he encontrado un alma. Parece el atrio de mi pueblo en día de elecciones...

ELVIRA: Buenas noches, don Rufo.

CARLOS: ¡Hola, don Rufo! ¿Qué acontecimiento es éste?

ELVIRA: ¿Sabe que Lucía está enferma?

DON RUFO: ¿Qué me contás? Y tan bien que la dejé la última vez. Pero, ¿no será de cuidado, eh?

CARLOS: Parece que no. Y a usted, ¿cómo le va? Ya nos han dicho que anda hecho un muchacho...

ELVIRA: Y haciendo conquistas en los teatros. ¡Muy bonito!...

DON RUFO: Cállate, hija. ¡Vaya un cuero pa' que se prendan abrojos!

ELVIRA: Sí, hágase el mosca muerta nomás, ¡como si no lo conociéramos! A una amiga mía la ha tenido mortificada las otras noches con los gemelos...

DON RUFO: Pues ahí tenés, ¡con seguridad que no la he visto! Todavía no he podido acostumbrarme a mirar claro con los tales aparatos... ¡Y cuando tengo interés en ver, lo hago derecho viejo, a lo que te criaste!

CARLOS: Y entonces, ¿para qué los usa?

DON RUFO: ¡Qué sé yo! Cuando los enderezo para un lado, ahí me quedo las horas muertas moviendo la ruedita y haciendo fuerzas para ver, sin poder ver nada. Y usted, mocito, ¿qué dice? *(A Pepito.)*

PEPITO: *(Aparte.)* ¡Me carga este viejo confianzudo! *(Alto.)* Nada, señor...

DON RUFO: ¡Cuidado! ¡Le puede hacer daño a la garganta! No hay que abusar, amigo. ¿Conque ayer le hicieron comer cola otra vez? Me está pareciendo que ese famoso... ¿cómo es que se llama el tostao?

CARLOS: Alalí.

DON RUFO: Pues que el Alalí ese va a concluir en algún carro de aguatero... ¡Si había sido un sotreta, che!

PEPITO: Cuando eso dice, es porque no habrá visto cómo se desarrolló la carrera.

DON RUFO: Y ¿cómo no he de verla? Me puse junto a la raya y tuve a los mancarrones tan cerquita como lo tengo a usted. Si hasta el resuello les he sentido...

PEPITO: Sí, pero seguramente no pudo usted darse cuenta de que en el recodo, el jockey de Esperanza le estorbó el paso a mi caballo, apretándolo contra los palos.

DON RUFO: ¡Ah!, ¿el morenito? ¡Es claro! Si el negro ese no ha estudiado pa' zonzo y siempre se pierde del lao de las casas. ¿Le hizo alguna travesura, entonces?

PEPITO: Me hizo una pillería al ver que "le iba" a ganar la carrera.

DON RUFO: ¡Puede que así sea, pero me está pareciendo, amigo, que usted siempre se queda en "Leiva"! ¡Vaya, ahí viene mi comadre!

ESCENA XVIII
DICHOS, DOÑA CAMILA; A POCO, ÁNGELA

DOÑA CAMILA: ¡Qué perdido, don Rufo! ¡Dichosos los ojos que lo ven!

DON RUFO: De lo bueno, poco, comadre, para que no empalague. ¿Cómo sigue Lucía? Supongo que no es nada serio, ¿verdad?

DOÑA CAMILA: Está mejor, gracias. Se ha quedado dormida.

DON RUFO: Más vale así.

CARLOS: ¿Y hasta cuándo lo tendremos por aquí, don Rufo?

DON RUFO: Quince días más... hasta fin de mes...

PEPITO: *(A Doña Camila.)* Lo sé todo.

DOÑA CAMILA: ¿Qué cosa?

PEPITO: ¡Todo, señora! ¡Y hay que cortar por lo sano!

DOÑA CAMILA: No le comprendo...

PEPITO: Es que usted se empeña en no ver la luz, entonces.

DOÑA CAMILA: ¡Cómo! ¿Usted también cree?

PEPITO: ¡Pero es claro, señora! ¡Lo inconcebible es que usted dude! *(Continúan hablando en voz baja.)*

DON RUFO: No... Se me cumplen los tres meses de ciudad que son de reglamento. No me quedo más. Si ya me llevo gastao un platal.

ÁNGELA: *(Entrando.)* Niña Elvira. *(Mutis derecha.)*

ELVIRA: Voy.

DON RUFO: *(A Carlos.)* ¡Una barbaridad che! Me he comido más de cien novillos gordos. ¡Figurate!

CARLOS: ¡Es claro! Si ya sé lo de la gringa...

DON RUFO: ¿Sabés? ¿Qué es lo que sabés? Vamos a ver...

CARLOS: Lo de la corista del Politeama, ¿qué se viene haciendo el desentendido?

DON RUFO: Y ¿a vos quién te cuenta esas cosas? ¡La gran flauta! ¡Si parecen peludos por lo hurguetes! Y ¿qué te parece?

CARLOS: Muy buena... Vale la pena... Medio de tiro pesado nomás... *(Entra Ángela por derecha y sale por foro.)*

DON RUFO: Como de pasto fuerte, ¿eh? A propósito, decime... Ahí anda fregando un tal Pedro Flores... dele cartas y dele ramitos. P'cha digo. Me tiene ardiendo y no puedo saber quién es... Me dicen que es un viejo... ¿Lo conocés vos?

CARLOS: ¿Pedro Flores, dice? ¡Cómo no! Es el nombre de guerra que tiene don Lucas para las aventuras amorosas. *(Entra Elvira.)* *(Aparte.)* ¡Yo lo enredo a don Lucas aunque sea inocente!

DON RUFO: ¡No digás! ¿De veras?

CARLOS: ¡Palabra! *(Aparte.)* Siempre será un refuerzo.

Escena XIX
Dichos, Leonor, Luis y Ángela

LEONOR: ¿Qué es lo que me dice, Ángela? ¿Lucía está enferma? *(Ángela hace mutis foro.)*

CARLOS: ¡Hola!... Buenas noches...

ELVIRA: ¡Qué suerte! ¡Leonor!

LEONOR: ¿Qué tiene Lucía? *(Se quita el abrigo y el sombrero.)*

CARLOS: No se alarme, no es nada...

ELVIRA: ¡Qué tarde llegan! Ya creíamos que no venían.

DOÑA CAMILA: Te estábamos extrañando.

LEONOR: Me quitan ustedes un gran peso de encima. ¡Qué susto tan grande me he dado! *(A don Rufo.)* ¡Hola!

DON RUFO: Se compuso el baile... ¡ya está "bulle bulle"!

LEONOR: Sí, bonita estoy yo con usted. Ya sé lo que ha andado diciendo, ¡so atrevido!

DON RUFO: No ha de ser nada malo si es de usted.

LUIS: ¡Conque ésas tenemos! ¿Qué le ha hecho usted a mi hermana?

DON RUFO: La verdad es que no sé...

CARLOS: ¿De dónde salen a estas horas, calaveras?

LEONOR: Venimos de hacer una visita donde nos hemos opiado en grande. *(Se sienta.)* Pero, cuénteme lo que ha sucedido, ¿qué dice el médico?

DOÑA CAMILA: Si vieras, hija, qué mal rato hemos pasado...

DON RUFO: Y ¿qué se ha hecho Juan, que no lo he visto?

ELVIRA: Papá debe de estar en su cuarto: voy a hacer que le avisen. *(Medio mutis.)*

CARLOS: Déjalo tranquilo; creo que se ha acostado.

LUIS: Sí, Elvira, no lo moleste usted a don Juan, que es tan extremoso con Lucía. Debe de haberle hecho mucho efecto lo ocurrido.

PEPITO: ¡No es para menos! *(Da una vuelta.)*

DON RUFO: ¿Se ha hecho pruebista, amigo?

CARLOS: ¿Qué es eso, Pepito?

PEPITO: *(Aparte a Carlos.)* ¡Cállese!... Es una cábula. *(Alto.)* Pero, ¿saben que de veras hace frío?

LUIS: Cuando llegamos estaba helando...

LEONOR: *(Se levanta.)* Voy a ver si está despierta.

DOÑA CAMILA: Prométeme que si duerme no la despertarás.

LEONOR: Pierda usted cuidado. Entraré en puntas de pie.

DOÑA CAMILA: Sobre todo, si te siente no le converses mucho.

DON RUFO: Pídale al arroyo que no corra o al perro que no se rasque...

LEONOR: No les haga caso, señora, y esté tranquila. *(Mutis. Don Rufo se sienta al lado de Camila.)*

ELVIRA: *(A Pepito. Ambos están sentados.)* Me ha dejado usted nerviosa. Necesito que me explique lo de don Lucas. A pesar de todo, no comprendo cómo puede ser eso...

PEPITO: Es lo que deseo. Cuanto antes mejor...

CARLOS: Leonor no vuelve; seguramente la ha encontrado despierta a Lucía.

LUIS: Y si se agarran las dos pico a pico...

DON RUFO: ¡Ya lo creo! ¡Mirá quiénes!

DOÑA CAMILA: Déjenlas. Se entienden tan bien entre ellas. Cuando están juntas no se oyen sino sus risas... porque, ya se sabe, encontrándose Leonor en casa, todo es alegría...

CARLOS: Y como eso sucede un día sí y otro también...

DOÑA CAMILA: Felizmente para todos.

DON RUFO: Es que esta Leonor es tan "cuhete". Yo con sólo verla ya me pongo contento; ¡qué muchacha!

ELVIRA: *(A Pepito. Han seguido la conversación en voz baja.)* ¡Pero eso es un horror! ¡Yo me confundo! La vida sería imposible en esa forma...

PEPITO: Pues es así, sin embargo...

ELVIRA: Bueno, voy a pedirle una cosa, únicamente: prométame que esta noche no le dirá nada a papá.

PEPITO: Pero, ¿por qué?

ELVIRA: Le ha irritado mucho Carlos... y temo que el momento no sea oportuno.

PEPITO: Como usted quiera... pero tenga en cuenta que hay que apurarse, ¡nos va a "jettar" a todos!

ESCENA XX
DICHOS Y LEONOR

LEONOR: Lucía quiere una taza de té.

DOÑA CAMILA: ¿No le hará daño?

LEONOR: ¡Qué ha de hacerle! Si ya está buena... Lo que tiene es una gran debilidad.

LUIS: ¡Es claro! Después de tanta charla...

LEONOR: Si apenas hemos conversado un ratito...

CARLOS: Apostaría a que usted se lo ha conversado todo.

LEONOR: Se equivoca. Es Lucía la que ha hablado: yo no he hecho sino escuchar... escuchar y reírme.

DON RUFO: ¿Reírse? Y, ¿cuándo no son pascuas?

CARLOS: Pues me alegra equivocarme, entonces.

LEONOR: Y, ¿van a mandarle el té o no? Miren que es capaz de venirse...

DOÑA CAMILA: Voy a ver qué capricho es ése. *(Mutis.)*

LUIS: De todos modos, es un buen síntoma, ¿no es verdad, don Rufo? *(Siguen conversando.)*

LEONOR: ¿No andaba por aquí el último número de *Caras y Caretas*?

CARLOS: Espere, yo se lo voy a buscar.

LEONOR: *(Aparte a Carlos.)* Me lo ha referido todo Lucía y pueden ustedes contar conmigo.

CARLOS: *(Ídem a Leonor.)* Muchas gracias... no esperaba menos de usted.

LEONOR: Aquí está... gracias. *(Sigue hojeando revistas.)* *(Carlos se acerca a don Rufo.)*

ESCENA XXI

DICHOS, DOÑA CAMILA, POR LA DERECHA, Y ÁNGELA, POR EL FORO (CON UNA BANDEJA Y SERVICIO DE TÉ)

DOÑA CAMILA: Vengan a tomar el té. *(Leonor y Elvira sirven.)* Espérate, Ángela, con eso le llevas una taza a Lucía.

DON RUFO: La mía con poca azúcar, ¿eh?

PEPITO: ¡No ponga así la cuchara, Leonor! *(Va y le toma la cuchara.)*

LEONOR: ¿Por qué? ¿Qué tiene?

PEPITO: Porque trae desgracia...

LEONOR: No sabía *(Da una taza a Ángela, quien se va por la derecha.)*

ESCENA XXII
DICHOS Y DON JUAN

DON JUAN: Buenas noches. *(Los hombres se levantan y Carlos mutis.)*

DOÑA CAMILA: ¿Quieres una taza de té, Juan?

LEONOR: Yo voy a servírsela.

DON JUAN: No, hija, no te incomodes. No voy a tomar té. *(Se sienta.)* Y a ti Rufo, ¿cómo te va? Hace días que no te veíamos. ¿Qué te has hecho?

DON RUFO: *(Sentándose.)* ¿Yo? Como siempre... como un ocho en la baraja. ¡Ya no servimos para nada, Juan!

LEONOR: *(Sirviendo.)* El señor se ha hecho crítico, se ha dedicado a comentar los defectos de las personas, hablando más de lo que debe.

DON RUFO: Ahora caigo en el enojo. ¡Vaya! Y ¿por qué se ha enfadado? Porque dije que un día viéndola subir a un coche me fijé que...

LEONOR: Nadie le pregunta nada, ¿entiende? ¡Viejo zafado!

DON RUFO: ¡Ja, ja! Y eso ¿qué importa? ¡Mejor! ¡Quiere decir que será usted de la condición del tordo, pues! ¿Qué más quiere? *(Risas.)*

DON JUAN: Rufo, te estás pasando...

LEONOR: Y usted... Pero, no quiero decir una barbaridad.

DON RUFO: Bueno, hagamos las paces, y le prometo que aunque vea lo que vea, no vuelvo a contarlo...

LEONOR: Cuente lo que quiera, ¡a mí qué me importa!

DON JUAN: Y ¿qué tal el stud, Pepito?

PEPITO: *(Tomando el té.)* ¡No me hable, don Juan! Este mes pensaba ganar tres o cuatro carreras. Eran casi fijas y estaba encantado... Pero, después de lo que he sabido esta noche, ¡ya no tengo ninguna esperanza!

DON JUAN: ¿Por qué no tiene esperanzas?

PEPITO: Y ¿cómo quiere que gane? Ahora las cosas cambian y es seguro que... *(Elvira hace señas a Pepito.)*

DON JUAN: Acabe usted: ¿qué es lo seguro?

PEPITO: Nada... es que... *(Aparece Benito, foro.)*

ESCENA XXIII
DICHOS, BENITO Y DON LUCAS

BENITO: *(Anunciando.)* El señor don Lucas Rodríguez. *(Aparece don Lucas.)*

PEPITO: *(Deja caer la taza al suelo.)* ¡Buenas noches! *(Mutis foro.)*

DON JUAN: Y esto, ¿qué quiere decir?

DON RUFO: ¡Debe de haber sido algún dolor muy fuerte! ¡Suele suceder! *(Risas.)*

TELÓN RÁPIDO

ACTO SEGUNDO

La escena representa el mismo salón del acto anterior. Es de día. Al levantarse el telón aparece Carlos paseándose con cierta nerviosidad, y algunos segundos después sale Leonor, por la derecha, mirando con recelo hacia uno y otro lado.

ESCENA PRIMERA
LEONOR Y CARLOS

CARLOS: *(Va a su encuentro.)* ¿Y?...

LEONOR: *(Sonriendo.)* Dice Lucía que esté tranquilo, que cuando llegue el momento ella se encargará de la señora y Elvira.

CARLOS: ¿Y de Ángela y de Benito?

LEONOR: Yo podría tenerlos alejados un rato... pero... un rato nomás... No sé qué tiempo necesitarán ustedes.

CARLOS: Media hora... Con que queden solos don Lucas y Enrique durante media hora, estamos del otro lado.

LEONOR: Pero, ¿qué piensan ustedes hacer?

CARLOS: *(Riendo.)* Ya lo verá.

LEONOR: ¿Y si no viene don Lucas?

CARLOS: ¡Oh!, sí... lo conozco como a mis manos; estoy seguro de que ya viene en camino. *(Riendo.)* Tan es así... que me voy. *(Hace ademán de irse.)*

LEONOR: ¿Adónde va?

CARLOS: A espiar con Enrique, desde la esquina, la entrada del "jettatore". *(Riendo camina hacia el foro.)*

LEONOR: *(Riendo.)* Bueno, yo quedo de guardia. Vaya nomás. *(En este momento aparece Benito, foro.)*

DICHOS, BENITO; Y A POCO PEPITO

BENITO: *(Desde la puerta.)* El señor Castro y Obes.

CARLOS: Este estúpido puede echarnos todo a perder. *(A Leonor.)* Hay que despedirlo. *(Vase izquierda.)*

LEONOR: Que pase. *(Vase Benito.)*

PEPITO: Buenas tardes, Leonor. ¿Conque no está don Juan? *(Le da la mano.)*

LEONOR: Salió después del almuerzo y ya no vendrá hasta la hora del té.

PEPITO: Es cierto... es demasiado temprano... Pero, ¡es que estoy tan nervioso!

LEONOR: ¿De veras?

PEPITO: Y ¿cómo no? En toda la noche no he podido pegar los ojos... y ahora vengo de tomar un baño eléctrico. *(Se sienta.)*

LEONOR: ¿Un baño eléctrico? Y ¿para qué?

PEPITO: ¡Cómo! ¿Usted no sabe? ¡Si es un santo remedio! ¡Y se lo recomiendo! Con un baño eléctrico echa usted fuera toda la "jettatura" que haya podido ir almacenando durante mucho tiempo... y se queda después tranquila... hasta que agarra otra nueva...

LEONOR: *(Riendo.)* ¡No diga! ¿Cierto?

PEPITO: ¡Oh!, lo tengo muy probado... Pero, ¿dónde está Elvira?

LEONOR: Con la señora, acompañando a Lucía. Lucía no está bien.

PEPITO: ¡Como que la pobrecita está "jettada"! *(Se levanta.)* ¡Es que es una cosa terrible! ¡Usted no sabe! *(Se pasea.)* Pero, ¡hoy mismo hay que poner remedio al mal! Se lo diré a don Juan. Para eso he venido.

LEONOR: *(Conteniendo la risa.)* A ver, Pepito, ¿qué nudo de corbata tan raro se ha hecho usted?

PEPITO: Es por cábula. Esta manera de atarse la corbata trae suerte, lo mismo que la tiza en la suela de los botines. ¿No ve? *(Levanta un pie y en la suela tiene tres rayas y dos puntos.)*

LEONOR: *(Conteniendo la risa.)* ¿Ah, sí? Tampoco sabía esto. ¡Qué bien queda! Y ¿es con cualquier tiza nomás?

PEPITO: Con cualquiera... Se hacen tres rayas y dos puntos. Esta cábula me la enseñó un calabrés y a mí me ha dado siempre muy buen resultado... *(Aparece Benito, foro.)*

ESCENA III
DICHOS Y BENITO

BENITO: *(Anunciando.)* El señor don Lucas...

PEPITO: *(Con agitación.)* ¡Pero esto es una infamia! ¡No puede ser! ¡Este hombre ha dado en perseguirme! *(Corre de un lado a otro.)* ¡Yo voy a hacer una barbaridad! ¿Por dónde salgo?

LEONOR: *(Riendo.)* Salga por ahí. *(Señala la izquierda.)*

PEPITO: ¡Volveré más tarde para hablar con don Juan! *(Vase.)*

ESCENA IV
LEONOR Y DON LUCAS

DON LUCAS: ¿Cómo sigue Lucía?

LEONOR: Regular nomás...

DON LUCAS: ¡Caramba! ¿Qué me dice usted?

LEONOR: Todavía no se ha repuesto del todo.

DON LUCAS: ¡Qué contratiempo! *(Aparece por el foro Benito, seguido de Enrique.)*

ESCENA V
DICHOS, ENRIQUE Y BENITO

BENITO: *(Anuncia.)* El doctor Salvatierra. *(Vase.)*

LEONOR: Ahí está el médico.

ENRIQUE: Muy buenas tardes. *(Saluda con gravedad.)*

LEONOR: *(Sonriendo.)* Lo estábamos esperando, doctor.

ENRIQUE: ¿Puedo pasar? *(Señala hacia la derecha.)*

LEONOR: Con su permiso, voy a ver. *(Vase derecha.)*

DON LUCAS: *(Vacilando.)* Dígame... doctor... estas enfermedades ¿son peligrosas?

ENRIQUE: *(Mirándolo por lo alto y con tono sentencioso.)* Mi estimado señor... todas las enfermedades tienen sus peligros, por eso son enfermedades.

DON LUCAS: *(Desconcertado.)* Indudablemente... pero... las unas más que las otras...

ENRIQUE: ¡Es claro!

DON LUCAS: *(Aparte.)* ¡Vea con la perogrullada con que me sale! *(Alto.)* Como ha sido una indisposición tan inexplicable la de Lucía...

ENRIQUE: Inexplicable puede parecerle a usted, que es un profano.

DON LUCAS: Indudablemente... pero...

ENRIQUE: Pero no a mí, que soy especialista en estas dolencias y que las conozco en todas sus manifestaciones.

DON LUCAS: *(Aparte.)* ¡Botarate! *(Alto.)* ¡Ah! ¿es usted especialista?

ENRIQUE: Soy médico "telepático".

DON LUCAS: Telepático, ¿eh?... *(Aparte.)* Debe de ser algo de homeopatía. *(Alto.)* Conozco... conozco...

ENRIQUE: ¡Bueno fuera que no lo supiera!...

DON LUCAS: Es claro, ¿cómo no he de saberlo? Y, a propósito, estaba pensando...

ENRIQUE: Sé en lo que usted piensa... Pero, le prevengo que está equivocado.

DON LUCAS: ¡Cómo!

ENRIQUE: ¡Naturalmente! De algo han de servirme mis conocimientos.

DON LUCAS: ¡Ah!, ¿de veras? Conque sus conocimientos le permiten...

ENRIQUE: Conocer aproximadamente lo que piensa usted. Pero, señor mío, ¿se da cuenta usted de lo que dice?

DON LUCAS: Francamente, no comprendo...

ENRIQUE: ¡Cómo! ¿que no comprende? Un hombre ilustrado, un hombre inteligente como usted... He tenido el honor de manifestarle que soy médico "te-le-pá-ti-co"... ¿Todavía no comprende usted?

DON LUCAS: ¡Sí! ¡Cómo no! ¡Ya lo creo! *(Aparte.)* ¡Pues ni una palabra entiendo!

ENRIQUE: ¡Acabáramos! Ya me extrañaba...

ESCENA VI
DICHOS Y LEONOR

LEONOR: *(Desde la puerta derecha.)* Doctor, puede pasar.

ENRIQUE: Con su permiso. *(Vanse derecha.)*

DON LUCAS: *(Solo.)* He aquí a lo que estamos expuestos los hombres que hemos recibido una educación incompleta. Viene un mozalbete y nos da una lección en cuatro palabras. Ahí tienen ustedes... Parece que es una barbaridad no saber lo que es telepatía... Pues, yo no lo sabía... más aún: ¡ahora mismo no lo sé!... Te-le-pa-tía. ¡Hágame usted el favor! Pero, ¡mire que querer saber hasta lo que yo pienso! ¡Se necesita audacia! Y lo peor es que como uno al fin no está seguro, tiene que callarse. Todos los días se descubren cosas nuevas, y ¡vaya uno a discutir! El que discute y se ensarta, sienta plaza de ignorante. Por eso, lo mejor es no sorprenderse de nada...

ESCENA VII
DON LUCAS Y ELVIRA

ELVIRA: *(Desde la puerta izquierda.)* ¡Ah!, ¿estaba usted aquí?

DON LUCAS: Sí, Elvirita... esperando al médico para tener noticias.

ELVIRA: Pero, siéntese... no se incomode. Estoy muy nerviosa, ¿sabe? No sé lo que tengo...

DON LUCAS: Me encuentro bien así.

ELVIRA: Dígame, ¿no ha visto a Pepito por acá?

DON LUCAS: No; desde que yo estoy aquí, no ha venido.

ELVIRA: No sé... me dice Ángela que lo vio entrar...

DON LUCAS: Pero, ¿qué le pasa?

ELVIRA: Nada... Don Lucas... nada... ¿No le digo que son los nervios?

DON LUCAS: Bueno, Elvirita, bueno... La verdad es que no entiendo lo que...

DICHOS, LEONOR, ENRIQUE Y CARLOS

LEONOR: ¿Esperará usted aquí, doctor?

ENRIQUE: Sí, señorita. Quiero observar nuevamente a la enferma dentro de un cuarto de hora.

LEONOR: Lo dejo a usted entonces con el señor Rodríguez, un amigo de la casa que nos hará el favor de hacerle compañía. *(Mutis de Leonor y Elvira.)*

DON LUCAS: Siéntese usted... doctor.

ENRIQUE: Gracias. A propósito... hace un momento he estado con usted un poco brusco. Discúlpeme. Las preocupaciones de nuestra ingrata profesión nos hacen incurrir a menudo en aparentes faltas de cortesía. Confío en este caso en la claridad de su criterio para no abundar en mayores excusas.

DON LUCAS: ¡Oh!, ¡no vale la pena! Me lo explico muy bien. ¿Conque cura usted por medio de la telepatía?

ENRIQUE: No es eso, precisamente. La telepatía me permite ponerme en contacto mental con el paciente. Curo por la sugestión... el poder de la voluntad trasmitido por el pensamiento...

DON LUCAS: ¡Ah!...

ENRIQUE: Sí, señor; trasmito fluido al paciente y por ese medio lo domino, me apodero de su voluntad, le ordeno que se cure... y, tratándose de enfermedades nerviosas, el éxito es infalible.

DON LUCAS: Entiendo... entiendo... La voluntad suya sobre la otra voluntad... después la trasmisión del pensamiento..., y el enfermo se cura. ¡Es maravilloso! Y ese extraño poder, ¿puede usted ejercitarlo sobre todas las personas?

ENRIQUE: Sobre la casi totalidad. Hasta ahora, sólo he encontrado seis capaces de resistirme... y dos que resultaron con más fluido que yo...

DON LUCAS: ¿Con más fluido que usted?

ENRIQUE: Sí, eran más fuertes, tenían más poder y me dominaban... Un ruso y un inglés... Los dos han muerto...

DON LUCAS: ¡Demonio, demonio! ¡Es original! Y ¿y si no se trata de enfermos?

ENRIQUE: Es exactamente lo mismo... la sugestión siempre.

DON LUCAS: Entonces ¿usted podría... por ejemplo... sugestionarme a mí... trasmitirme su pensamiento?

ENRIQUE: Sin duda alguna.

DON LUCAS: *(Aparte.)* Pero... ¿será cierto? *(Alto.)* ¿Quiere usted que hagamos la prueba?

ENRIQUE: Si usted quiere...

DON LUCAS: ¿Cómo hay que hacer?

ENRIQUE: Me bastará con mirarlo fijamente. Es por medio de la mirada como se produce el fenómeno... Vamos a ver... Yo voy a ordenarle a usted que piense un número comprendido entre uno y diez. Mientras yo no le indique, usted no piense en nada. Cuando yo considere que la sugestión se ha producido, le diré ¡ya! Entonces usted piensa rápidamente. Enseguida, digo yo el número que le he ordenado pensar y usted me declara si es o no el que ha pensado. ¿Comprendido?

DON LUCAS: Completamente. Veamos...

ENRIQUE: Usted no piense en nada... entréguese por completo a mí. ¡Ya! ¡Cinco!

DON LUCAS: ¡No señor!

ENRIQUE: ¿Cómo... que no?

DON LUCAS: He pensado en el número cuatro.

ENRIQUE: ¡Es raro!... Otra vez... ¡Ya!... ¡Tres!

DON LUCAS: ¡No señor!... ¡Seis!

ENRIQUE: ¡No puede ser!

DON LUCAS: ¡Le digo a usted que sí!

ENRIQUE: ¡No me explico! ¿Me da usted su palabra de honor de que dice la verdad?

DON LUCAS: ¡Palabra de honor! ¿Por qué quiere usted que lo engañe?

ENRIQUE: ¡Es sorprendente! A ver, otra vez... ¡Ya! ¡Dos!

DON LUCAS: Dos, sí señor...

ENRIQUE: Ahí tiene usted... ha pensado en el número que yo le ordené.

DON LUCAS: ¡Vaya una gracia! Se ha equivocado usted dos veces y ha acertado una... ¡Al fin tenía que acertar! ¡Así yo también!

ENRIQUE: Es que en las dos primeras veces no se ha efectuado bien la trasmisión. No me explico la causa, ¡y me extraña!

DON LUCAS: ¿A que no lo hace usted otra vez?

ENRIQUE: Veamos... Pero déjeme tomarle las manos. Es más seguro... Pero ¿qué es esto? ¡Tiene usted las manos que queman! ¡El síntoma característico de las personas que tienen fluido, en los momentos de crisis!

DON LUCAS: ¿Qué? ¿Qué dice usted?

ENRIQUE: Pero, ¡este hombre es hipnotizador! ¡Ahora me explico! ¿Y no me decía usted nada? ¡Se estaba usted burlando de mí!

DON LUCAS: ¿Hipnotizador... yo?

ENRIQUE: ¡Pero... cómo! ¿No lo sabía usted, de veras? ¿No lo sabía? A ver... deme la mano... ¡Ya lo creo! ¡Es evidente! ¡La misma mano del inglés! ¡Qué fatalidad!

DON LUCAS: ¿Del inglés? Pero... ¿qué me cuenta usted? ¡Y yo que no lo sabía! ¡Se lo juro! ¿No será un error suyo?

ENRIQUE: A ver... mándeme pensar un número a mí...

DON LUCAS: ¿Le parece? No... no podré... es imposible que yo...

ENRIQUE: Vamos, hombre, no perdamos tiempo.

DON LUCAS: Si usted se empeña... ¡Ya! ¡Nueve!

ENRIQUE: Sí, señor: ¡nueve!

DON LUCAS: ¿De veras?

ENRIQUE: ¡Ya lo creo que es de veras! ¡Esto sólo me faltaba! ¡Maldición!

DON LUCAS: A ver... otra vez, ¿quiere? ¡Ya!... ¡Ocho!

ENRIQUE: ¡Ocho! ¡Es prodigioso! ¡No puede ser!

DON LUCAS: ¡Cómo que no puede ser! Me parece que usted lo ha visto. No sé qué más quiere. ¡Que no puede ser!...

ENRIQUE: Bueno, señor, ¡perfectamente! ¿Está usted contento? Ahora... ¡déjeme en paz!

DON LUCAS: ¡Cómo! ¿Es posible? ¿Rivalidades? ¿Celos? Pero amigo mío... Si yo no he de hacerle competencia. No tengo para qué ejercer...

ENRIQUE: Basta, señor, basta. ¡Hemos concluido!

DON LUCAS: Pero, óigame... tranquilícese usted... Le aseguro que por mi parte...

LEONOR: *(Desde la puerta.)* ¿Viene usted, doctor?

ENRIQUE: Voy, señorita, voy. *(Vanse.)*

DON LUCAS: *(Solo.)* ¿Qué quiere decir esto? ¡Ja, ja, ja! ¡Telepático e hipnotizador yo! Pero, no, hombre, no... ¡no puede ser! *(Se ríe.)* Lo que siento es el mal rato que le he dado a este infeliz muchacho. Pero... Ahí está ¿ve? Ahora ya no le tengo rabia: ¡me da lástima! Pero... no, hombre, no, ¡no es posible! ¡Estos son disparates!

ESCENA IX
DON LUCAS, CARLOS, LEONOR

CARLOS: Una palabra, don Lucas.

DON LUCAS: ¡Carlos!

CARLOS: Le debo una explicación, y a dársela vengo.

DON LUCAS: ¿Por qué? ¿Por lo de anoche? ¡Vaya, hombre!

No se preocupe de esas zonceras. Ya ve... yo ni siquiera me acordaba...

CARLOS: No importa. He sido un grosero con usted y no me lo perdono. Pero, ¡qué quiere! Estaba ofuscado...

DON LUCAS: ¡Pues no hablemos más del asunto!

CARLOS: Entonces, ¿no me guarda usted rencor?

DON LUCAS: ¡Pero no, Carlos, absolutamente, no faltaba más!

CARLOS: Tiene usted un noble corazón. Deme la mano. *(Se la da. Carlos retira la suya bruscamente.)*

DON LUCAS: ¿Qué? ¿Qué es eso?

CARLOS: Nada... no sé... He experimentado una sensación extraña... Parece que tuviera usted fiebre... Le arde la mano...

DON LUCAS: No, amigo mío: no es fiebre... Es otra cosa...

CARLOS: ¿Ah, sí?... ¿Qué cosa?

DON LUCAS: A ver: permítame… Párese aquí... fíjese bien en lo que voy a decirle. Cuando yo diga ¡ya!, piense en un número entre uno y diez. Enseguida yo le diré cuál es el número que ha pensado.

CARLOS: No comprendo bien...

DON LUCAS: ¡No le hace! Ya lo comprenderá después... Haga como le digo. No se apresure ¿eh? Mientras yo no diga ¡ya!, no piense en nada. Entréguese por completo a mí.

CARLOS: Bueno.

DON LUCAS: ¡Ya! Uno.

CARLOS: Sí, señor: uno... pensé en el uno. Y usted... ¿cómo lo sabe?

DON LUCAS: ¡Es muy sencillo! ¿Usted cree que piensa en el número que quiere? ¡Ja, ja! ¡Qué esperanza! No, señor. Soy yo quien le ordena que piense en el uno. Usted simplemente obedece... ¡Es la trasmisión del pensamiento, amigo! ¡La telepatía!

CARLOS: ¡Vaya! Eso es una broma...

DON LUCAS: ¡Qué ha de ser broma, hombre! Es tal como se lo digo. ¡Si yo mismo estoy asombrado! ¡Parece que tengo un fluido tremendo!

CARLOS: ¿Usted?

DON LUCAS: Sí, señor, ¡yo!... ¿Quiere que hagamos otra vez?

CARLOS: Bueno.

DON LUCAS: *(Le toma los brazos.)* ¡Ya! Seis... Es seis el número que ha pensado. *(Pausa.)* ¿Por qué no contesta? *(Carlos está inmóvil, con la mirada fija en don Lucas.)* ¡Si habré hecho una barbaridad, demonio! ¿Si se habrá enfermado? ¿Qué quiere decir esto? ¡Adiós mi plata! ¡Ya he hecho una barbaridad! Pero... ¿qué hago yo ahora con este hombre?... *(Carlos da pequeños saltos.)* Quieto, amigo, estése quieto. ¡Quieto le digo! ¿Qué baile le ha entrado? Pero, ¡que hable! le digo... ¿Por qué no habla? *(Aparece Enrique.)*

ESCENA X

DICHOS, ENRIQUE Y BENITO

DON LUCAS: ¡Gracias a Dios! ¡Vea lo que me pasa! ¿Qué quiere decir esto?

ENRIQUE: Un cataléptico.

DON LUCAS: ¿Un qué? ¿Es algo grave?

ENRIQUE: No, hombre, no... Exceso de fluido... Ha cargado usted un poco la mano y se trata, seguramente, de algún gran sujeto.

DON LUCAS: ¿Gran sujeto? No, es un buen muchacho y nada más.

ENRIQUE: Se les llama así a las personas que son muy sensibles a la influencia hipnótica, y éste debe de ser una de ellas. Venga para acá. Póngale un dedo delante de los ojos. *(Lo hace.)*

DON LUCAS: Y ahora, ¿qué hago?

ENRIQUE: Camine retrocediendo. *(Don Lucas lo hace, Carlos lo sigue saltando.)*

DON LUCAS: ¡Es extraordinario! ¿Cómo dice usted que se llama esto? ¿No le hará daño?

ENRIQUE: No, señor.

DON LUCAS: Nadie lo creería, ¿eh? ¡Qué curioso! Y él ¿no se da cuenta de nada?

ENRIQUE: Absolutamente de nada... Bueno, ahora baje la mano con rapidez... así... Déjelo nomás, y conversemos... *(Carlos permanece rígido.)* Antes de retirarme necesito estar seguro de su discreción, tener el convencimiento de que nadie sabrá, por ahora, que ha obligado usted al doctor "Salvatierra" a someterse al poder de su voluntad.

DON LUCAS: ¡Oh!, en cuanto a eso esté tranquilo.

ENRIQUE: Me es indiferente que haga usted todas las experiencias que quiera. Lo que exijo es que durante el término de un mes no dé usted explicaciones. Pasado ese tiempo me habré ausentado de Buenos Aires... y poco me significará lo que suceda después...

DON LUCAS: Convenido, sí, señor...

ENRIQUE: No, júrelo usted en una forma solemne.

DON LUCAS: ¡Bah! Puesto que se lo aseguro a usted...

ENRIQUE: ¡Se niega usted! Perfectamente: me retiro y lo dejo solo con ese hombre... No sabrá despertarlo... y se morirá. Aténgase a las consecuencias.

DON LUCAS: ¡Oh, no, doctor! ¡Usted no hará eso!

ENRIQUE: ¿Que no lo haré? ¡Lo veremos! *(Medio mutis.)*

DON LUCAS: ¡No, por favor! ¡Espérese! *(Tendiendo la mano.)* ¡Se lo juro solemnemente!

ENRIQUE: Muy bien. No olvide usted este juramento. Ahora, óigame... Cuando yo me retire, le sopla usted a ese hombre en la cara. Soplándole se despertará... Y antes de irme, un consejo: no abuse usted del fluido extraordinario con que lo ha dotado la naturaleza... Adiós. *(Medio mutis.)*

DON LUCAS: ¿No me da usted la mano?

ENRIQUE: No, señor... Que Dios lo ayude... y le perdone el mal que me ha hecho. *(Vase.)*

DON LUCAS: ¡Pobre muchacho!... Pero... ¿qué culpa tengo yo? ¡Vamos a ver! Cualquiera diría que he cometido algún crimen. ¡Si es cierto que tengo fluido, será porque así lo ha dispuesto quien puede disponer estas cosas!... Y, ¿qué le digo yo a este otro? ¿Cómo le explico? ¡Infeliz! De veras que da pena... ¡Obligado a hacer lo que uno quiera! ¡Vea usted esto! *(Lo hace caminar. En ese momento aparece Benito por el foro, y al contemplar la escena huye asustado.)* ¡Basta! ¡Basta! ¡Es demasiado triste! *(Le sopla a la cara.)*

CARLOS: *(Despertando.)* ¿Qué es esto? ¿Dónde estoy?

DON LUCAS: Tranquilícese... Ha tenido usted un ligero desmayo.

CARLOS: Pero... déjeme que recuerde... ¡Ah, sí! Estaba pensando en el número seis, y de pronto ya no supe lo que me pasaba. ¿Me desmayé, entonces? ¡Qué raro! Es la primera vez que me sucede...

DON LUCAS: Bah, bah; no piense más. A mí me ha sucedido muchas veces... Son indisposiciones pasajeras.

CARLOS: Pero, no, ¡si ahora recuerdo! Bueno, de todos modos, ni una palabra de todo .esto, ¿eh? Mis tíos podrían alarmarse.

DON LUCAS: ¡Justo! Se lo iba a proponer a usted. Reserva completa... Es lo mejor...

CARLOS: Hasta luego, don Lucas. *(Le tiende la mano.)*

DON LUCAS: Hasta luego... *(No toma la mano de Carlos.)*

CARLOS: *(Comprendiendo.)* Es verdad... tiene razón. *(Mutis.)*

DON LUCAS: ¿Qué hacía usted ahí?

BENITO: Nada, señor.

DON LUCAS: Acérquese.

BENITO: Como me pareció que llamaban...

DON LUCAS: *(Aparte.) ¡Hum!*... ¿si habrá visto algo este cernícalo?... *(Alto.)* ¿No ha vuelto todavía don Juan?

BENITO: No, señor. No ha vuelto.

DON LUCAS: *(Por las dudas, sería mejor dominarlo.)* Escuche... ¿Usted es español, no?

BENITO: Sí, señor... de Pontevedra

DON LUCAS: ¡Ah!, con que de Pontevedra, ¿eh? *(Aparte.)* Sí... sin duda... es lo mejor... *(Alto.)* Venga para acá... *(Benito se aproxima asustado.)* Párese derecho, hombre. Míreme a los ojos... ¡Así no!... ¡sin pestañear! Cuando yo le avise, piense en un número entre uno y diez, ¿entiende?

BENITO: Sí, señor... Ya está: once... ¡pensé en el once!

DON LUCAS: ¡No, hombre, no! Tiene que esperar mi aviso... *(Aparte.)* Estos organismos groseros deben ser refractarios a la sugestión... *(Medio mutis Benito.) (Alto.)* Pero, ¿quiere estarse quieto?

BENITO: Es que no puedo...

DON LUCAS: ¡Estire los brazos!

BENITO: *(De rodillas y llorando.)* No señor, ¡a mí no! ¡Soy un padre, un padre de familia que no ha hecho mal a nadie! ¡A mí no! ¡Señor!... ¡Perdón! ¡Se lo pido por lo que más quiera en este mundo!

DON LUCAS: ¡Pero no grite, hombre! ¿Qué significa esto?... ¡Levántese!... ¡pronto!

BENITO: Es que conmigo no tiene motivos, señor, ¡no tiene motivos!

DON LUCAS: ¡Le repito que no grite! ¡No sea usted bruto!

LEONOR: ¿Qué sucede?

DON LUCAS: ¿No ve usted?

LEONOR: Alguna torpeza de Benito, seguramente. Vaya para adentro, Benito. *(Mutis de Benito.)*

DON LUCAS: Efectivamente, este hombre es un torpe. ¿Creerá usted que no sé por qué llora?... De pronto, sin razón ni motivo...

LEONOR: Sí, sí... no me sorprende. Si es así... ¡Ya no se le puede aguantar!

DON LUCAS: ¡Caramba! Yo lamento que en este caso...

LEONOR: ¡Ni una palabra más! Siéntese. Ya vienen la señora y Lucía.

ESCENA XIII
DICHOS, DOÑA CAMILA Y ELVIRA

DOÑA CAMILA: ¿Cómo está, don Lucas? Discúlpeme si no he venido antes. Lucía no me dejaba mover de su lado...

DON LUCAS: Bueno fuera, señora. Cuando hay enfermos...

DOÑA CAMILA: Es que la pobre tiene tantas manías. ¡Si usted viera! Yo creo que está "histericada". Ahora la dejo vistiéndose muy contenta... y hace un momento estaba en un ¡ay! El mismo médico está sorprendido.

DON LUCAS: Y ¿le recetó algo? *(Leonor toma una receta que al salir dejó sobre la chimenea.)*

DOÑA CAMILA: Sí, no sé qué... A ver la receta, Leonor.

LEONOR: Es un apunte, nomás... No necesita receta. Me parece que es un tónico. *(Se la entrega a don Lucas.)*

DON LUCAS: *(Leyendo la receta.)* ¡Lo de siempre!

ELVIRA: Ya viene Lucía.

LEONOR: Pero... ¿qué es esto? *(Al entregar la receta queda con el brazo extendido.)*

DON LUCAS: ¿Qué? ¿Qué tiene?

LEONOR: Esto, ¿no ve? ¡No puedo doblar el brazo!

DON LUCAS: Vamos, vamos, no se asuste... No es nada... A ver...

LEONOR: ¡Si no me asusto! Yo no soy aprensiva... pero... es muy raro...

DOÑA CAMILA: Dóblalo, hija... Haz la prueba otra vez...

LEONOR: ¡Si no puedo!

DON LUCAS: No es nada, no es nada... No hay que alarmarse. *(Le sopla el brazo.)* ¿No ve? Se acabó... Ya está lo mismo que antes...

LEONOR: Es cierto... Pero ¿qué habrá sido?

DOÑA CAMILA: ¡Es muy extraño!

DON LUCAS: Algún tendón... Son cosas que a cada rato suceden... Vaya, no tiene por qué preocuparse... No vale la pena.

LEONOR: ¡Si ya lo sé! ¡Qué ocurrencia! ¿Por qué quiere que me preocupe?

DON LUCAS: Es frecuente... cualquier mal movimiento. *(Aparte.)* ¡Estoy tremendo!

ESCENA XIV

DICHOS y LUCÍA

LUCÍA: Buenas tardes, don Lucas.

DON LUCAS: Buenas tardes, Lucía. ¿Sigue usted bien?

LUCÍA: Sigo mejor, gracias. *(Se sientan. Pausa.)*

DOÑA CAMILA: ¡Qué milagro Juan! ¡Cómo tarda!

LUCÍA: Si todavía es temprano...

LEONOR: Deben ser más de las cuatro.

LUCÍA: ¡Qué esperanza!

Don Lucas: Son las cuatro y cuarto.

Lucía: ¡Cómo se ha pasado el tiempo!

Leonor: ¿Te parece? ¡Pues a mí se me ha hecho largo! Se conoce que lo has visto correr desde la cama. *(En este momento sale Ángela por izquierda.)*

Escena XV
Dichos y Ángela

Doña Camila: ¿No sabes si ha llegado Juan?

Ángela: No sé, señora.

Doña Camila: Fíjate a ver si está en el escritorio y avísale que don Lucas está aquí.

Ángela: Bueno, señora. *(Medio mutis.)* ¡Ah! Benito se encuentra enfermo. Se ha encerrado en su pieza y parece que tiene fiebre.

Doña Camila: ¿Enfermo? Y ¿desde cuándo?

Ángela: Desde hace un rato. Le hemos puesto paños de agua fría en la frente, porque se quejaba de dolor de cabeza.

Doña Camila: ¿Paños de agua fría? ¡Qué barbaridad! ¡Con fiebre y sin saber lo que tiene! ¿A qué se meten ustedes? ¡Vaya que le haga daño!

Lucía: ¡Pobre Benito!

Ángela: Al contrario, señora... si lo hemos aliviado.

Don Lucas: *(Aparte.)* ¡Vaya que cuente ahora! *(Alto.)* Y ¿qué dice?

Ángela: No dice nada: se maneja por señas...

Elvira: *(Aparte.)* ¡Otra desgracia! ¡Qué iniquidad!

Doña Camila: Bueno, más tarde me avisas cómo sigue. Vete nomás. *(Ángela mutis, por derecha.)*

Don Lucas: Si ese hombre está enfermo, debe mandarlo al

hospital, señora. Es peligroso un enfermo así en una casa de familia.

ELVIRA: *(Aparte.)* ¡Muy cómodo!... ¡Enferma a la gente y la manda al hospital a que se cure!

DOÑA CAMILA: No, si el pobre es casado y con hijos, si se trata de algo serio se irá a la casa de su mujer, supongo...

DON LUCAS: Mire que anda mucha viruela... *(Leonor se ríe.)*

DOÑA CAMILA: Pero ¿de qué te ríes muchacha?...

LEONOR: ¡Benito con viruela! ¡Es lo único que le faltaba!

DOÑA CAMILA: No tendría nada de extraordinario... y no veo motivo de risa.

LEONOR: No, señora... es que no ha de ser nada; por eso me río. ¿Cómo quiere usted que tenga viruela Benito? *(Sale Ángela por derecha.)*

ÁNGELA: Ahí está el señor, y dice que haga el favor de pasar al escritorio. *(Mutis por foro.)*

DON LUCAS: Con el permiso de ustedes. *(Mutis por la derecha.)*

DOÑA CAMILA: Usted lo tiene, don Lucas.

ELVIRA: ¡Pero, Dios mío! ¿Qué piensan hacer ustedes?

DOÑA CAMILA: ¿A propósito de qué hija?

ELVIRA: ¡Con ese hombre, mamá! ¡Con ese hombre que es el que tiene la culpa de todo lo que sucede!

DOÑA CAMILA: Elvira, ¿estás loca?

ELVIRA: Pero ¿no lo ves acaso? ¡Si es un "jettatore", mamá! ¡Está patente!

DOÑA CAMILA: Ya te han contagiado sus ridiculeces Carlos y Pepito.

LUCÍA: Es que Elvira está en lo cierto, mamá. Yo también empiezo a convencerme...

LEONOR: ¡Como que no tiene duda!

DOÑA CAMILA: ¡Pero Jesús, hijitas! ¡Parece mentira!

ELVIRA: Si continúa viniendo aquí, yo no sé qué va a pasar. ¡Es espantoso!

ÁNGELA: Señora, dice la cocinera que Benito sigue mal. Ahora está delirando.

ELVIRA: ¡No te digo, mamá, no te digo! *(Llora.)*

DOÑA CAMILA: ¡Pero, Elvira, ten juicio, por Dios! Que le avisen a la mujer enseguida. ¿Sabes dónde vive?

ÁNGELA: La cocinera sabe.

LEONOR: ¡Pobre Benito!

LUCÍA: Y ¿qué es lo que hace?

ÁNGELA: Parece que se le ha dado con el señor don Lucas, y a gritos le pide que no lo mire, que le perdone y no sé cuántos disparates más. *(Elvira, Leonor y Lucía, de pie, dan gritos de asombro.)*

DOÑA CAMILA: Pero ¿qué estás diciendo, mujer?

ÁNGELA: Así me lo acaba de decir Petrona, señora; yo no lo he visto.

DOÑA CAMILA: ¡La verdad que es extraño! ¡Pronto, que le avisen a la familia! ¡No pierdan tiempo! *(Ángela mutis por foro.)*

ESCENA XVII
DICHOS, DON JUAN Y DON LUCAS

DON JUAN: Buenas tardes.

TODAS: Buenas tardes.

DON JUAN: *(A Lucía.)* Hija mía... don Lucas nos hace el honor de pedirme tu mano, y en mi nombre y el de tu madre se la concedo. Supongo que nada tienes que observar a esta decisión nuestra. *(Pausa corta.)*

DON LUCAS: *(Aparte.)* ¡Si pudiera contestar con un número entre uno y diez!

ELVIRA: *(Observando a don Lucas, el cual tiene clavada la vista en Lucía.) (Aparte.)* ¡Cómo la mira! ¡Parece que se la quiere comer! ¡Qué canalla!

DON JUAN: ¿Por qué no contestas? Vamos a ver...

LUCÍA: Papá... Haré lo que ustedes quieran.

DON LUCAS: Muchas gracias, Lucía, yo le prometo que... *(Lucía rompe a llorar; todos la rodean.)*

DON JUAN: ¿Qué es eso, Lucía? ¿A qué vienen ahora esos lloriqueos?... *(A don Lucas.)* Es la emoción, amigo.

DON LUCAS: ¡Sí, lo comprendo! *(Aparte.)* Es el fluido: ¡cargué demasiado!

LEONOR: ¡Pero, Lucía! *(Lucía y Elvira lloran.)*

LUCÍA: Perdóname, papá. Ya estoy tranquila.

ESCENA XVIII
DICHOS Y PEPITO

PEPITO: ¡Qué! ¿Alguna catástrofe? *(Avanza hacia el centro y al ver a don Lucas, retrocede hasta la puerta del foro.)*

DON JUAN: ¡Hola, Pepito! ¡Al contrario, hombre, adelante! ¿Qué es eso? ¿Qué le sucede?

PEPITO: Venía en busca suya. Tengo que hablar con usted... *(Sin perder de vista a don Lucas.)*

DON JUAN: Pero acérquese, entonces. Aquí me tiene, ¿qué hace ahí parado?

PEPITO: ¡No puede ser! Le ruego que me escuche, pero fuera de aquí.

DON JUAN: Pero ¿por qué no entra?

PEPITO: ¡Porque no puede ser! *(Durante esta escena hace los cuernos.)*

DON JUAN: ¡Vaya un hombre original éste!... ¡Se necesita tener paciencia! Bueno, espéreme en el escritorio. Voy enseguida.

PEPITO: Perfectamente. *(Mutis derecha, caminando de espaldas a la puerta.)*

DON JUAN: Confieso que no lo entiendo a tu Pepito. El día menos pensado te lo van a encerrar en el manicomio, en el patio de los pavos.

ELVIRA: ¡Pero papá! *(Llora.)*

DON JUAN: ¡Eso es! ¡Es lo único que nos faltaba! *(Mutis derecha.)*

DON LUCAS: *(Aparte.)* Debe de ser una nueva forma de sugestión que no me han enseñado... Mientras que unos avanzan, otros retroceden. Cuestión de temperamento, sin duda...

ESCENA XIX
DICHOS, ÁNGELA Y DON RUFO

DON RUFO: *(Entra acompañado de Ángela, la cual hace mutis enseguida.)* Buenas tardes. ¡Qué! ¿Alguna otra novedad? ¿Qué caras de viernes santo son ésas?

DOÑA CAMILA: Pase, adelante, don Rufo. No hay nada.

DON RUFO: Por lo menos, lo que es la enferma de anoche ya no se muere. ¿Ya estás bien, hijita?

LUCÍA: En cuanto supe que usted había venido, sané. Así que ya sabe el remedio para otra vez.

DON RUFO: Y este pimpollo ¿qué tiene? Parece que ha llorado...

ELVIRA: Nada, don Rufo, no tengo nada.

DON RUFO: ¡Hum! No me gustan las mujeres que lloran por nada. ¿Cómo le va, amigo? *(A doña Camila.)* ¿Y Juan?...

DOÑA CAMILA: Ahora nomás viene. Está con gente, en el escritorio. Siéntese.

LEONOR: Uno de estos días tenemos que cantar con la guitarra.

DON RUFO: ¡Cómo no! ¡Ya lo creo! Yo siempre estoy pronto...

DON LUCAS: ¡Qué bueno va a estar eso!

DON RUFO: Sí, ya sabemos que usted es aficionado "al canto".

DON LUCAS: Es cierto, ¡me gusta mucho!... pero me lo dice usted de un modo...

DON RUFO: Lo que tiene es que su gusto es cantar acompañao... y algunas veces suele quedarse cantando solo! *(Aparte.)* ¡Hum! ¡Te voy a dar Pedro Flores!

DON LUCAS: No comprendo...

DON RUFO: Con que no comprende, ¿eh? ¡Está bueno! Se creerá usted, amigo, que nos hemos criao boliando pajaritos...

DON LUCAS: Pero...

LEONOR: *(A Rufo.)* Lo que es usted no se queda atrás tampoco. Me dicen que tiene temporada en el Politeama y que no falta ninguna noche.

DON RUFO: Sí, hijita... suelo ir algunas veces... ¡para dar lástima!

DON LUCAS: *(Aparte.)* Hay que domesticar a este guaso... ¿Si serán susceptibles a la sugestión estas naturalezas medio salvajes? *(Se levanta y clava la vista en don Rufo.)*

LEONOR: *(A su espalda.)* Y, ¿qué le parece la compañía? ¿Es buena?

DON RUFO: Bastante buena. ¡Sobre todo las coristas! ¡Qué bien cantan esas mujeres! *(Risas.)*

DOÑA CAMILA: ¡Vaya una ocurrencia! ¡Tan luego las coristas llamarle la atención!

DON RUFO: Es que me ha dicho una persona entendida que es muy difícil llevar el compás juntas y cantar así en montón. La que canta sola no tiene que preocuparse más que de ella... ¡Mire qué gracia!

LUCÍA: Y en la Ópera ¿no ha estado?

DON RUFO: ¿En la Ópera?... *(Al contestar a Lucía se encuentra con la mirada de don Lucas.)* No, no he estado. *(Aparte.)* ¿Por qué me estará mirando de ese modo este mamarracho?

LEONOR: Pues debía ir a la Ópera. ¡Allí sí que son buenas las coristas!

DON RUFO: *(Aparte.)* ¡No hay más que me está provocando! *(Alto.)* Es que no me dejan. *(Risas.)*

DOÑA CAMILA: ¿Qué está usted diciendo, don Rufo?

DON RUFO: ¿Qué he dicho? Que no voy a la Ópera porque no tengo tiempo, y de ahí... *(Aparte.)* ¡Si me sigue mirando de esa manera, le rompo el alma!

LEONOR: Y usted, don Lucas, ¿no va nunca al teatro?

DON LUCAS: Hace tiempo, Leonor. Voy poco, muy poco. *(Aparte.)* Que lástima, se cortó la corriente. ¡Se conoce que es gran sujeto!

DOÑA CAMILA: ¡Qué raro! ¡Siendo tan amigo de la música como es usted!

DON LUCAS: Es que el invierno pasado tuve un ataque de reumatismo que no me dejaba salir de noche... y este año...

DON RUFO: ¡Vaya! ¡Después de tanto lujo salimos con baile en el patio. Y si es enfermo, amigo, ¿a qué se las quiere tirar de pollo y de fuerte?

DON LUCAS: ¿Yo?... No sé en qué...

LEONOR: Cuéntenos algo, don Rufo, de las óperas que ha visto.

DON RUFO: Si no las entiendo, hijita... ¡Como son en italiano!... *(Risas.)*

DON LUCAS: *(Aparte.)* Mejor es que me retire... ¡No vaya a ser que así como al otro le dio por retroceder, le dé por atropellar al animalote este!

DOÑA CAMILA: ¿Y no entiende el italiano, entonces?

DON RUFO: No, comadre, pero lo estoy aprendiendo y puede que con el tiempo... si me dejan... *(Por don Lucas.)*

LUCÍA: ¿Y está muy adelantado?

DON RUFO: Regular nomás... Como hay algunos que pretenden estorbarme.

DON LUCAS: Me voy... A los pies de ustedes, señoras: hasta luego, Lucía; buenas tardes, don Rufo... *(Le tiende la mano.)*

DON RUFO: *(Sin tomar la mano.)* Que le vaya bien, amigo...

TODAS: Hasta luego, don Lucas. *(Vase. Leonor y Lucía se ríen.)*

DOÑA CAMILA: ¿Qué es eso, niñas? ¡A ver si se están quietas!

ESCENA XX

DICHOS, JUAN; Y A POCO, CARLOS

DON JUAN: *(Se levantan todos.)* ¿Se fue don Lucas? ¿Cómo te va, Rufo? ¡Vaya! ¡Se acabó! Ahí sale tu Pepito a quien por poco he tenido que darle una lección. ¡Es un ridículo insoportable!

DOÑA CAMILA: Pero, Juan... ¡fíjate en lo que dices, por favor!

DON JUAN: Y ¿qué quieres que yo le haga? ¡Ella tiene la culpa por haber puesto los ojos en un tilingo como es el tal Pepito! ¡Se necesita ancheta! ¡Pretender que le cerrara las puertas de mi casa a don Lucas a título de que él tiene miedo! ¿Se ha visto nunca cosa igual? ¡Si es de no creerse! *(Se pasea.)*

DOÑA CAMILA: ¡Qué disgusto tan grande, Dios mío!

DON JUAN: ¡Pero qué imbécil, señor, qué imbécil! ¡Parece mentira! Cuando le contesté que no sólo continuaría don Lucas siendo recibido en esta casa, sino que lo destinaba para marido de mi hija, tuvo la insolencia de decirme: "¡Pues yo renuncio a pertenecer a una familia que está condenada a convertirse en un semillero de 'jettatorcitos'!" Te aseguro que no sé cómo me contuve y no le tiré una silla por la cabeza. *(Pasea. Lucía hace mutis y Leonor medio mutis.)* ¡Oh! En todo esto veo patente la mano de Carlos y hará bien ese tarambana en no ponerse más en mi presencia. *(Entra Carlos.)*

DON RUFO: *(A Leonor.)* ¿Qué quiere decir eso?

LEONOR: "Jettatore" es el que hace mal de ojo.

DON RUFO: ¡Ah! ¿Y don Lucas?

LEONOR: Yo no sé; dicen que es así. *(Mutis.)*

DON RUFO: *(Aparte.)* ¡Acabáramos! ¡Y yo que creía que no hacían daño sino a las viejas! ¡Qué julepe el de la gringa cuando se lo cuente!

CARLOS: ¿Qué sucede?

DON JUAN: Que inmediatamente te mandás mudar de aquí. *(Entran Leonor y Lucía gritando.)*

LEONOR: ¡Elvira se ha desmayado! ¡Vengan ligero! *(Mutis.)*

DOÑA CAMILA: *(Corriendo a la habitación.)* ¡Dios mío!

CARLOS: ¡Eso no impide que en esta casa haya entrado la "jettatura"! *(Don Juan alza una silla y don Rufo lo contiene.)*

TELÓN RÁPIDO

La misma decoración que el 1º y 2º actos. Sobre una silla están el sombrero, el bastón y el sobretodo de don Juan.

Escena primera
Don Juan y Doña Camila

Doña Camila: *(Sentada.)* Yo no sé, Juan, pero de un tiempo a esta parte todo nos sale mal; puros disgustos y malas noticias. No tenemos un solo momento de tranquilidad.

Don Juan: Pero, ¿qué estás diciendo, mujer? ¿Dónde están esos disgustos y esas malas noticias? Francamente, no las veo, por lo menos en una proporción que alarme.

Doña Camila: ¡Caramba! ¿Te parece poco? Las noticias que nos llegan de la estancia no pueden ser peores. La seca está haciendo estragos, el pobre don Felipe se ha roto un tobillo y, como si no fuera bastante, a las dos chicas menores les ha dado escarlatina. ¡Quién sabe si a estas horas ya no se han muerto!

Don Juan: Y bueno, ¿qué vamos a hacerle? ¿Acaso está en nuestras manos remediarlo? ¡Al fin no tiene nada de extraordinario!

Doña Camila: Aquí, no digamos. Yo, cada día más mortificada con mis dolores de cabeza que no me dejan ni a sol ni a sombra; Lucía, pálida y triste, que de sólo verla da pena; Elvira, ¿para qué hablar?, llorando en su cuarto desde que amanece hasta que anochece; el desgraciado

Benito, en una pocilga de conventillo con esa fiebre cerebral que lo ha tenido entre la vida y la muerte; a ti mismo se te ha perdido plata del bolsillo... *(Don Juan intenta hablar.)* Que es lo que menos importa, pero que al fin es algo que nunca te había sucedido... y hasta la infeliz cocinera hace ocho días que no viene porque un dolor de muelas la tiene medio loca...

DON JUAN: ¡Basta, mujer, basta! ¡Si de cualquier zoncera haces un mundo! ¡Vaya una letanía de desgracias imaginarias! En esa forma, ¡ya lo creo!, somos la gente más infeliz de la Tierra...

DOÑA CAMILA: Vamos a ver, Juan, ¿cuántos días hace que no ves a Elvira?

DON JUAN: Eso es lo único que me preocupa. Comprendo que la pobre sufre, pero, ¡bien sabes que no es por culpa mía! ¡Si no fuera por ese imbécil!

DOÑA CAMILA: ¡Si ya sé que no es por culpa tuya! ¡Demasiado que lo sé! Y eso es lo que más me desespera, Juan, porque estoy convencida de que nada hemos hecho para merecer lo que nos sucede...

DON JUAN: ¡Pero no exageres, mujer! ¡No es para tanto!

DOÑA CAMILA: Si no exagero, Juan. Y eso sin contar con una infinidad de detalles que no parecen nada, pero que contribuyen a tenerla a una en continuo sobresalto. En esta semana son tres los cuadros que se han desprendido de las paredes sin saber por qué. Ayer amaneció rota la luna del espejo de mi tocador y cuatro cuerdas del piano se han cortado en el intervalo de dos días. ¿Qué significa todo esto, Juan? ¿Qué significa? ¿Por qué antes no pasaban estas cosas y ahora pasan? ¡Eso es lo que yo quisiera saber!

DON JUAN: *(Se levanta.)* Pero, Camila, ¿es posible que hables de ese modo? ¡Una mujer razonable y sensata como siempre has sido, preocupada de semejantes ridiculeces!

Que si se caen los cuadros o se cortan las cuerdas del piano... Pero... ¿a dónde vamos a parar? ¿Qué quieres decir con eso?

DOÑA CAMILA: *(Se levanta.)* Hace una semana que concedimos a don Lucas *(cuernos)* la mano de Lucía y desde entonces...

DON JUAN: ¿Qué? ¿Vas a salirme también con la pretendida "jettatura" de don Lucas? ¿Será posible? Pero no, Camila, no, ¡por favor! No digas más, no quiero perder en un momento la buena opinión que de ti tengo...

DOÑA CAMILA: Lo único que yo digo, Juan... *(Saca del bolsillo un fierrito.)*

DON JUAN: Pero ¿qué tienes en la mano?

DOÑA CAMILA: Nada, Juan: un fierrito...

DON JUAN: ¿Qué quiere decir esto? ¿Para qué tienes eso?

DOÑA CAMILA: ¡Qué quieres, Juan! Es que ya me va entrando miedo a mí también... Con eso no hago daño a nadie. De todos modos... por las dudas... ¿qué tiene de malo?

DON JUAN: ¡Pero, Camila, Camila!

DOÑA CAMILA: Y ¿si resultara cierto?

DON JUAN: ¿Quieres hacerme el favor de callarte? ¡Voy a concluir por creer que has perdido la chaveta!

DOÑA CAMILA: ¡Chist! ¡Ahí viene Lucía!

ESCENA II
DICHOS Y LUCÍA

LUCÍA: Buenas tardes, papá. *(Tomándole las manos.)*

DON JUAN: Buenas tardes, dormilona. ¿Por qué no bajaste a almorzar?

LUCÍA: Tenía un poco de dolor de cabeza, y me quedé acompañando a Elvira.

DON JUAN: Lo que tú necesitas, hijita, es una temporada de estancia. Ya vas a ver qué bien te pones este verano. ¿Qué anillo es éste?

LUCÍA: Es un clavo de herradura doblado, es contra los "jettatores", papá... *(Le suelta la mano.)*

DON JUAN: ¿Contra los "jettatores"? Pero ¿aquí todo el mundo se ha vuelto loco? ¿Tú también, hija, con semejantes pamplinas? ¿Qué virtud le atribuyes a este anillo? ¿Quieres decirme?

LUCÍA: Contrarresta los efectos de la "jettatura", papá... ¡Sí, es muy bueno!

DON JUAN: Mira... mejor es que no continuemos. ¡Esto se va haciendo insoportable! *(Toma el bastón y el sombrero.)*

DOÑA CAMILA: No te vayas enojado, Juan. Tras tantos disgustos como tenemos, no los aumentes todavía...

LUCÍA: No, papá... perdóname. ¿Quieres que me lo saque? Mira, me lo saco. No te disgustes por eso. No seas malo, papacito... *(Lo abraza.)*

DON JUAN: No, no, déjame... me voy. Tengo que hacer. *(Va a salir y se encuentra con Ángela que trae una herradura colgada de la cintura.)*

ESCENA III
DICHOS Y ÁNGELA

DON JUAN: ¿Quiere decirme qué significa ese colgaje que lleva usted a la cintura?

ÁNGELA: ¿Esto, señor? Es contra la "jettatura".

DON JUAN: ¿Usted también? Pero, dígame, ¡so pedazo de adoquín!, ¿qué se ha figurado usted? Ahora mismo se saca esa porquería, ¿entiende? Y le prohíbo que vuelva a andar de mojiganga, ¿entiende? Y si llego a verle algo por el estilo, la pongo de patitas en la calle. *(Ángela mutis foro, llorando.)* ¡Pero Señor! ¡Señor! ¡Esta casa se ha convertido en un manicomio! *(Vase rápido por foro.)*

ESCENA IV
DOÑA CAMILA Y LUCÍA

DOÑA CAMILA: *(Se sientan. Pausa.)* Estos malos ratos que pasa tu pobre padre me mortifican mucho.

LUCÍA: A mí también, mamá; y, sin embargo, no hay remedio. Es necesario defenderse contra la "jettatura".

DOÑA CAMILA: Indudablemente, es necesario... *(Pausa corta.)* ¿No ha venido Carlos?

LUCÍA: Estuvo un momento con nosotras y se fue. Dijo que volvería. Como tiene que ocultarse de papá...

DOÑA CAMILA: ¡Pobre Carlos! *(Pausa corta.)*

ESCENA V
DICHOS Y LEONOR

LEONOR: *(Por foro.)* ¡Buenas tardes! *(Besos.)* ¿Qué quiere decir ese aire tan triste? *(Se saca el sombrero.)*

LUCÍA: Lo de siempre, un disgusto con papá...

DOÑA CAMILA: ¡Esta ya no es vida, hija, no es posible vivir así!

LEONOR: *(Se sienta.)* Vamos, señora, ánimo. No hay que dejarse abatir. El buen tiempo volverá. Tenga confianza.

DOÑA CAMILA: No lleva miras, sin embargo. Con ese hombre funesto han entrado en esta casa los sinsabores y las lágrimas, que antes no se conocían. Ya no hay tranquilidad para nadie... ¡Todo el mundo contrariado por su causa! ¡Cuántos trastornos, cuántas agitaciones por su sola culpa!

LEONOR: Así es, señora. Y ¿de don Rufo no se tiene noticias?

DOÑA CAMILA: ¡Esa es otra! Después de las palabras que tuvo con Juan... por no sé qué indecencias de don Lucas, que de puro comedido vino a contarle creyendo hacer un bien, no hemos vuelto a saber nada de don Rufo.

LUCÍA: Hace cinco días que no se le ve por acá. ¡Pobre don Rufo, tan bueno como es!

LEONOR: Pero ¡qué tipo tan odioso ha concluido por hacerse el tal don Lucas!... Ahora, cuando entré estaba de plantón en la esquina el infeliz de Pepito. ¡Mire a lo que ha quedado reducido!

LUCÍA: Se lo lleva el día entero rondando por aquí. ¡Pobre Pepito, víctima inocente de don Lucas!

DOÑA CAMILA: ¿Y Carlos? ¿Dónde me lo dejas a Carlos, obligado a venir a escondidas a una casa que ha sido siempre como suya?

LEONOR: ¡Maldito don Lucas! *(Cuernos.)* Y ¿han visto la manera de mirar que ha tomado ahora? ¡Clava los ojos de un modo que da miedo!

DOÑA CAMILA: Cállate, hijita... ¡Si de sólo acordarme no sé lo que me pasa! Yo creo que sabe el daño que causa, y que lo hace adrede...

LUCÍA: ¡Oh, es muy capaz! Ese desagrado que dicen que tuvo el otro día en la Rotisserie, parece que fue por eso...

LEONOR: ¿Cuándo?

LUCÍA: ¡Ah! ¿no saben? Había una persona comiendo en una mesa frente a la suya, y durante mucho rato lo estuvo mirando con insistencia. Por fin el hombre, nervioso, se tragó una espina, y entonces, de rabia, le tiró con un plato...

LEONOR: Y ¿cómo no me habías dicho eso? *(Ríe.)*

LUCÍA: Creí que estabas presente cuando Carlos lo contó. *(Ríe.)*

LEONOR: ¡No sabía nada! *(Ríe.)*

LUCÍA: A Ángela la tiene enferma: no le quita los ojos de encima. Y a la pobre, cada vez que lo mira, le da hipo...

DOÑA CAMILA: ¡Si clama al cielo lo que está sucediendo! Y esto de tener que poner buena cara cuando otra cosa se siente por dentro, no se ha hecho para mí. El día menos pensado, me vendo. ¡Cuando pienso que a él y sólo a él se le deben nuestras desgracias!

LEONOR: ¡Ya lo creo! Como que si ese hombre no existiera, no existirían tampoco los motivos que tienen afligida a tanta gente. Imaginémonos por un momento que don Lucas no hubiera pisado nunca los umbrales de esta casa... ¡qué diferencia! Ni esta infeliz estaría amenazada de semejante calamidad de marido, ni Elvira enferma, ni Pepito huyendo, ni Carlos ocultándose, ni don Rufo resentido, ni don Juan agriado, ni usted, señora, llorando como llora ahora, ni yo teniendo que participar de las contrariedades y disgustos que les veo pasar a ustedes. ¡Y siendo el causante de tanto desastre, ha de haber todavía quien diga que ese viejo de morondanga no es un "jettatore"!

DOÑA CAMILA: Así es, hija, así es. *(Llora.)*

LEONOR: Sin don Lucas... ¡vea qué delicia! En este momento estaríamos reunidos en este mismo sitio... Allí Elvira y Pepito... acá con Rufo... por todos lados Carlos... don Juan entretenido en poner en apuros a Pepito... nosotras tirando la lengua a don Rufo. ¡Todos alegres y felices!

LAS TRES: ¡Maldito don Lucas! *(Cuernos.)*

ÁNGELA: *(Foro.)* ¡El señor don Lucas!

DON LUCAS: Muy buenas tardes.

DOÑA CAMILA: Adelante.

LUCÍA y LEONOR: Buenas tardes.

DON LUCAS: ¿Cómo se encuentran ustedes? ¿Cómo sigue Elvirita?

DOÑA CAMILA: Está mejor, gracias. ¿Y usted?

DON LUCAS: Regular, señora, nada más que regular. Acabo de recibir una impresión espantosa. *(Se sientan.)* Imagínense ustedes que venía a pie por la calle de Maipú con intención de ver una casa desalquilada que allí tengo. Poco antes de llegar a mi casa están haciendo una obra, un antiguo caserón que reedifican y al que le han echado altos. Cuando yo pasé, estaban unos cuantos albañiles tratando de asegurar un balcón que forma parte del nuevo edificio... y, precisamente, en ese instante, uno de ellos pisa mal y, ¡zas!, se estrella de cabeza contra la vereda...

DOÑA CAMILA: ¡Jesús!

LUCÍA: ¡Qué horror!

LEONOR: ¡Qué atrocidad! *(Pausa.)*

LUCÍA: ¿Por supuesto que el infeliz quedó muerto en el acto?...

LEONOR: Y, ¿cayó en el momento en que usted pasaba?

DON LUCAS: ¡Justo! ¡En ese mismo momento, como si me hubiera estado esperando! *(Las tres retiran sus sillas.)*

DOÑA CAMILA: ¡Jesús, María y José! *(Persignándose.)*

DON LUCAS: Pero, ¿por qué se retiran ustedes?

DOÑA CAMILA: Disculpe, don Lucas, ¡la emoción! ¡Es tan horrible lo que acaba usted de contarnos!

DON LUCAS: Calculen ustedes lo que habrá sido para mí que lo he presenciado...

LUCÍA: Y diga usted, don Lucas, ¿es la primera vez que le ha ocurrido una cosa así?

DON LUCAS: ¿Al albañil? ¡Lo supongo!

LUCÍA: No, a usted.

DON LUCAS: ¡Ah!, sí, la única... Y tengo bastante, ¡créamelo usted!

LEONOR: Pero, recuerde usted bien don Lucas...

DON LUCAS: Lo recuerdo. Nunca he visto matarse a nadie en esa forma.

LEONOR: Pero en otra sí, entonces, ¿verdad?

DOÑA CAMILA: ¡Haga usted memoria don Lucas!

LUCÍA: ¡Sí, don Lucas!

DON LUCAS: *(Aparte.)* ¡Pero qué empeño original! *(Alto.)* He visto... sí... he visto, hace muchos años, morirse otro hombre destrozado por un tren.

DOÑA CAMILA: ¡Qué horror!

LEONOR Y LUCÍA: ¡Jesús! *(Retiran las sillas.)*

DON LUCAS: Pero, señoras...

DOÑA CAMILA: Es la emoción, don Lucas, la emoción. ¡Dios mío! Pero, ¡qué cosas tan espantosas le ha tocado ver a usted!

DON LUCAS: ¡Cierto! Fue muy desagradable, se lo aseguro a ustedes.

LEONOR: Y ¿no ha presenciado usted otras desgracias por el estilo?

DON LUCAS: No recuerdo... no creo...

LEONOR: Otros accidentes... aunque sean menos graves... Piense un poco...

DOÑA CAMILA: Haga usted memoria, don Lucas...

DON LUCAS: ¡Pshs!, no recuerdo... He presenciado otros hechos, sí, pero vulgares, sin importancia... Caídas de caballo, choques de carruajes... En fin, lo que todo el mundo ha visto...

DOÑA CAMILA: ¡Qué ha de ver todo el mundo, don Lucas, qué ha de ver!

DON LUCAS: Pero...

LUCÍA: No importa... Cuente nomás, cuente...

DON LUCAS: Pero ¡no tiene interés!

LUCÍA: ¡Oh! Viniendo de usted, don Lucas...

DON LUCAS: *(Aparte.)* Bueno, ya que les entretiene, hay que inventar algo interesante. *(Alto.)* ¡Ah, sí! Ahora recuerdo... He presenciado otra vez un hecho muy curioso... y en ése, crean ustedes, tuve una participación activa, casi peligrosa. *(Aparte.)* Ya que es cuestión de inventar, vamos a darnos un poco de importancia.

LEONOR: A ver, a ver...

DON LUCAS: Era en un paseo campestre al que concurrían señoras. Después del almuerzo, nos habíamos dispersado formando grupos. Yo acompañaba a una niña, entonces buena amiga mía, nada más que amiga, pero cuyo nombre me permitirán ustedes que reserve: hoy es casada y madre de familia. Sentados sobre el césped, conversábamos, cuando vino a echarse a nuestro lado un perro. Era un perrazo enorme, y al parecer en extremo manso. ¡De pronto, al acariciarlo, aquel animal dio un gruñido y levantándose *(se paran todas asustadas)* con los pelos erizados y la boca abierta, lanzóse sobre mi compañera! Rápido como el rayo, dio con ella en tierra. Yo vi gotas de sangre en la blanca garganta de mi amiga y, ciego de coraje, ¡me lancé sobre la fiera! La lucha no pudo ser más terrible. Ambos rodamos cien veces por el suelo. Hubo un instante en que me creí perdido. Hice un esfuerzo supremo, llamé en mi auxilio mi fuerza toda, e introduciendo el brazo dentro de la bocaza del monstruo... ¡tiré con rabia, con verdadera desesperación, arrancando un montón informe de carne sangrienta!...

¡Era la lengua de aquella furia, que no tardó en caer agonizante a mis pies!

LEONOR: ¡Mentira! ¡Mentira!

LUCÍA: ¡Sinvergüenza!

DOÑA CAMILA: ¡Agua, agua! ¡Me ahogo!

LEONOR: Ahí tiene usted lo que ha sacado, ¡mentiroso! *(Mutis por foro. Entran Leonor y Ángela por el foro con una copa de agua.)*

ESCENA VII
DICHOS, ÁNGELA, JUAN Y CARLOS

CARLOS: ¿Qué ocurre?

LUCÍA: ¡Mamá se sofoca! ¡Es este don Lucas!

DON JUAN: *(Saliendo por la derecha.)* ¿Qué es esto? ¿Qué es lo que hay?

CARLOS: ¡Es el "jettatore"! ¡El "jettatore", que ha enfermado a tía!

DON JUAN: ¿Qué tienes, Camila?

DOÑA CAMILA: Ya va pasando... no es nada... no te asustes... *(A Ángela.)* Tráeme un frasco de agua de Colonia que hay encima de mi lavatorio. *(Mutis Ángela por izquierda.)*

DON JUAN: ¿Desde cuándo está así? ¿Han llamado al médico?

LUCÍA: Don Lucas ha ido en busca de uno, acaba de salir.

CARLOS: ¡No! ¡Médico traído por el "jettatore", no! ¡Que no lo dejen entrar!

DON JUAN: ¿Quieres callarte? ¿Vas a empezar otra vez?

DOÑA CAMILA: *(De pie.)* ¡No, Juan, por Dios! ¡El médico de don Lucas, no! ¡Tengo miedo!

DON JUAN: Bueno, mujer, bueno, tranquilízate.

CARLOS: ¡Que no venga el médico del "jettatore", que no venga! *(Entra Ángela con un frasco.)*

DON JUAN: Hazme el favor de no gritar. No somos sordos. ¡Caramba con el loco este!

DOÑA CAMILA: Es que tiene razón. Yo también te lo suplico. ¡Ya es bastante!

DON JUAN: ¡Pues que no venga! ¡Que sea como ustedes quieran! Al fin van a concluir por enloquecerme a mí también. *(Caminando hasta que se encuentra con Carlos.)*

DOÑA CAMILA: Gracias, Juan...

CARLOS: Gracias, tío, muchas gracias.

DON JUAN: ¡Déjame, hombre, déjame! *(A Camila.)* ¿Cómo te encuentras?

DOÑA CAMILA: Ya estoy bien, ¿no ves? *(Camina.)* Si no ha sido nada...

LEONOR: Y nadie se ha acordado de Elvira.

DOÑA CAMILA: Que vaya Ángela, y vea; pero sin decirle. La pobre no está para sustos. *(Mutis Ángela, por izquierda.)*

DON JUAN: El médico va a venir, ¿qué hacemos?

LEONOR: Que se encargue Carlos de despedirlo desde la puerta.

LUCÍA: Es lo mejor.

DON JUAN: Ve pronto, pero con tino, ¿eh?

CARLOS: Pierda cuidado... *(Vase por foro.)*

DOÑA CAMILA: ¡Ese hombre es "jettatore", Juan! ¡Ahora estamos seguros!

DON JUAN: ¡Pero mujer, no volvamos a las andadas!

LEONOR: Sí, señor, es cierto. ¡Don Lucas es "jettatore"!

DON JUAN: ¡Leonor!, ¿tú, también? ¡Pero hija, si es un disparate! ¡Si no puede ser!

LUCÍA: Si lo hubieras oído hace un momento, no dirías eso, papá. ¡Yo no puedo casarme con un hombre así! Tú no puedes querer mi desgracia. *(Lo abraza.)* ¡Y yo sería muy desgraciada!

DON JUAN: Vamos, vamos. Sean razonables, ¡por Dios!

DOÑA CAMILA: ¡Es un hombre funesto para nosotros! ¡Yo no sé lo que va a ser de mí! ¡Ya no tengo fuerzas! ¡Ya no puedo!

DON JUAN: Pero, no digas eso, Camila. ¡No tiene sentido común! ¡Qué ejemplo el que le das a tus hijas!

DOÑA CAMILA: Es que no puedo, Juan, es inútil, ¡no puedo!

DON JUAN: Sobre todo, no es este el momento de tratar el asunto. Cálmense. Mañana conversaremos. ¿Qué quieren que haga ahora?

ESCENA VIII
DICHOS, ELVIRA; A POCO, CARLOS

ELVIRA: ¡La felicidad de tus dos hijas: eso es lo que harás, papá, porque eres bueno y porque no puedes complacerte en vernos sufrir así! *(Lo abraza, llorando.)*

LUCÍA: *(Lo abraza.)* Sí, papá. ¡Por un capricho! ¡No es posible, papacito!

DON JUAN: ¡Pero hijitas de mi alma! ¿Qué más puedo querer yo que la felicidad de ustedes? Pero no es eso. Calculen ustedes mi situación. No se trata de caprichos. Yo...

CARLOS: *(Por foro.)* El médico se fue; pero ahí sube don Lucas... *(Las señoras salen corriendo y gritando, por izquierda.)*

ESCENA IX
DON JUAN, CARLOS Y DON LUCAS

DON LUCAS: Me dice Carlos que la señora sigue bien. *(Al entrar don Lucas, Carlos hace mutis, por izquierda.)*

DON JUAN: Regular nomás. Se ha recostado un rato. Siéntese.

DON LUCAS: Felizmente son cosas que no tienen importancia...

DON JUAN: No siempre, sin embargo. Estas mujeres del día, son un manojo de nervios, amigo don Lucas, y con ellas no se gana para sustos.

DON LUCAS: ¡Oh!, pero, en este caso...

DON JUAN: Y, ¡qué coincidencia!, a usted le ha tocado presenciar dos hechos análogos en mi casa: el ataque de Lucía, y ahora éste. No deja de ser casual, ¿eh?

DON LUCAS: Es cierto. *(Aparte.)* Sospechará algo del fluido...

DON JUAN: *(Aparte.)* Y ¿cómo le digo? ¡Pobre hombre... me da pena! *(Alto.)* De un tiempo a esta parte, tanto mi mujer como mis hijas se han vuelto excesivamente impresionables...

DON LUCAS: *(Aparte.)* ¡No hay duda!... ¡sospecha!

DON JUAN: El tarambana de Carlos tiene en mucho la culpa de lo que sucede. Les llena la cabeza de ideas ridículas, las aterroriza, manteniéndolas en una excitación constante.

DON LUCAS: ¡Ah! ¿Entonces Carlos ha hablado?

DON JUAN: ¿Cómo? ¿Hablado?

DON LUCAS: Sí, señor. ¡Sí, ahora me doy cuenta! Se trata de una indiscreción de Carlos...

DON JUAN: ¿Qué quiere usted decir? Explíquese.

DON LUCAS: Carlos lo ha atribuido todo a una influencia determinada...

DON JUAN: Pero usted, ¿cómo sabe?

DON LUCAS: ¡Vaya! Como que no es para mí una novedad que poseo una influencia... Pero, todavía no puedo hablar, don Juan... no puedo... *(Aparte.)* ¡Maldito juramento!

DON JUAN: Pero, ¿qué galimatías es éste? De manera que no ignora usted que se le supone... *(Aparte.)* ¡Cómo pronunciar la palabra! ¡Si es como una bofetada!

DON LUCAS: No sólo lo sé, sino que declaro que es cierto;

pero, se lo repito, no puedo hablar. No continuemos...
me colocaría usted en una situación violenta...

DON JUAN: ¡Ha perdido usted el juicio o hay aquí una confusión lamentable! ¿Quiere decir que usted mismo se atribuye un poder desastroso?

DON LUCAS: ¡Desastroso! Es un poco fuerte la palabra. Considero que si bien puede tener sus inconvenientes, tiene también sus grandes ventajas.

DON JUAN: ¡Esto es demasiado! ¡Es el colmo!

DON LUCAS: ¿Cómo demasiado?

DON JUAN: Pero, ¿quiere decirme, entonces, qué es lo que usted se propone?

DON LUCAS: Yo no me propongo nada... Lo que no veo es el motivo para tanto aspaviento. Al fin no soy el único... hay otros como yo...

DON JUAN: ¿Cómo?

DON LUCAS: Y los ha habido tal vez más fuertes. Un ruso y un inglés... por ejemplo. Los dos han muerto...

DON JUAN: Pero ¿es que pretende burlarse de mí, señor mío?

DON LUCAS: ¿Burlarme? ¡Pues al diablo las reservas y al diablo los juramentos! ¡Voy a darle a usted una prueba concluyente!

DON JUAN: ¡No, no, señor! ¡Dios lo libre! ¡Ni se le ocurra! *(En este momento aparece Carlos con un telegrama abierto. Puerta izquierda.)*

ESCENA X
DICHOS Y CARLOS

CARLOS: Tío... acaba de llegar este telegrama de la estancia, con una mala noticia.

DON JUAN: A ver... ¿qué sucede? *(Lee el telegrama.)*

CARLOS: Se ha incendiado el galpón nuevo, quemándose seis carneros.

DON JUAN: Pero... entonces...

DON LUCAS: ¡Ya me lo esperaba!

CARLOS: ¡Cómo! ¿Se lo esperaba? ¡Oiga lo que está diciendo!

DON JUAN: Con que se lo esperaba, ¿eh? ¿Esta sería la prueba concluyente? Pues a mí, ¡maldita la gracia que me hace! ¿Entiende? Con su permiso. *(Mutis izquierda.)*

DON LUCAS: ¡Es claro! Los galpones para animales finos deben ser de material. Desde el primer momento se lo dije. Pero, con todo, no veo razón para estos arranques de mal humor tan... tan...

CARLOS: ¡Con su permiso! *(Mutis izquierda.)*

DON LUCAS: Qué efecto extraordinario les ha causado la noticia... Pero ¿qué piñuflería es ésta? ¡Vaya una rareza de gente! Y ¿pensarán dejarme solo? ¡Ah, no! *(Toma su sombrero y su bastón, saludando a la puerta por donde hicieron mutis Carlos y don Juan.)* ¡Buenas tardes! *(Mutis foro.)*

ESCENA XI
CARLOS

CARLOS: *(Por izquierda. Sale renqueando.)* ¡Maldito sea! ¡Parece de intento! Quiero correr, me enredo en la alfombra y casi me he roto una pierna... ¡Demonio y cómo duele! ¡Uff! *(Se sienta.)* Pero, casual, ¿eh? ¡Ni que fuese realmente "jettatore"! *(Ríe.)* ¡Es lo único que me faltaba ahora! *(Ríe.)* ¡Que me entrase aprensión a mí también!

Escena XII
Carlos y Lucía

LUCÍA: Papá se va a la estancia para dejarnos en libertad de despedir a don Lucas. ¡Está furioso!

CARLOS: ¿De veras?

LUCÍA: ¡La casa es un alboroto! ¡Todo el mundo salta de alegría!

CARLOS: *(Tomándola de las manos.)* ¡Ahora, rubia... no me negarás un beso...!

LUCÍA: Te he dicho que beso no. ¡A ver! ¡Sal! ¡Mira que me enojo!

CARLOS: ¡Uno solo, rubia! ¿Qué tiene? Nada más que uno...

LUCÍA: ¡No, Carlos, no! ¡Déjame! ¡Me haces daño! Me voy y te dejo. ¡Te digo que no quiero!

CARLOS: ¡Si no es más que uno, mi vida! Después no volveré a pedirte, ¡te lo juro! Uno ahora y nunca más...

LUCÍA: Si yo sé, Carlos, lo que quiere decir ese uno. ¡No! ¡Por Dios, por lo que más quieras... déjame!

CARLOS: ¡Sí, rubia, sí! *(La besa. Aparece Leonor.)*

LUCÍA: ¡Basta, Carlos, basta, por favor!

Escena XIII
Dichos y Leonor

LEONOR: ¿Qué es esto? ¡Muy bonito!

CARLOS: Es que... me duele la pierna...

LEONOR: Me parece muy mal.

LUCÍA: ¡Leonor! *(Se besan ambas.)*

LEONOR: Bueno, tonta, se acabó. Pueden felicitarse de que haya sido yo la que ha entrado. ¡Es una verdadera imprudencia!

LUCÍA: ¡Carlos tiene la culpa!

CARLOS: ¡La culpa la tiene el "jettatore"!. *(Se ríe.)*

LEONOR: Sí, ríase nomás de la "jettatura" de don Lucas, que ahora resulta cierta. ¡Lindo chasco nos ha dado usted!

LUCÍA: ¡Ya lo creo! Y nosotras tan tranquilas, creyendo que se trataba de una farsa tuya... ¡Ahora me da miedo!

CARLOS: ¡Cómo! ¿Cierta?

LUCÍA: ¡Pero, es claro! ¡Si le hubieras oído lo que le pasó con un perro!... Un perro manso que se enfureció de pronto porque él lo acariciaba...

CARLOS: Eso es broma....

LEONOR: No, Carlos... ¡Don Lucas tiene que ser "jettatore" de verdad! Se desprende claramente de lo que nos ha contado, aun rebajando las mentiras con que adornó el cuento...

LUCÍA: Las proezas que él hizo serán mentiras, pero lo de la furia del perro tiene que ser cierto, ¡ya lo creo que es cierto!

CARLOS: Pero ¿qué estás diciendo? ¡Diablo! Si me habré limitado a descubrirlo, mientras creía inventarlo... Vaya, vaya... *(Cuernos.)* Pero ¡qué disparate!

ESCENA XIV
DICHOS Y DOÑA CAMILA

DOÑA CAMILA: *(A Lucía.)* Ven para acá, hija, déjame que te abrace. ¡Qué felicidad tan grande! ¡Si parece imposible!

CARLOS: ¡Al fin estamos libres, tía! No ha costado poco trabajo...

DOÑA CAMILA: Sí, hijo, sí. *(Lo abraza.)* Sólo faltan las campanas para repicar. ¡Qué jubileo! Pero, déjenme que me siente... no puedo más.

LEONOR: ¿Dónde está Elvira?

DOÑA CAMILA: Con Juan y Pepito. Ya van a venir.

CARLOS: ¿Con Pepito? Y ¿de dónde ha salido?

DOÑA CAMILA: Fue Ángela a buscarlo y lo trajo de la esquina...

LUCÍA: ¿Qué dice?

DOÑA CAMILA: ¡Qué sé yo, ni se le entiende! Dice que anoche soñó con un elefante... y que soñar con elefantes anuncia cambios favorables. *(Risas.)*

LEONOR: ¡Qué bueno sería avisar a don Rufo!

DOÑA CAMILA: Ahí está el bombero, primo de Ángela. Ahora le diré que vaya.

ESCENA XV

DICHOS, DON JUAN, ELVIRA, PEPITO Y ÁNGELA

(CON UNA VALIJA)

DON JUAN: *(A Ángela.)* Lléveme las valijas al coche. *(Mutis por foro, Ángela, con valija.)*

PEPITO: ¡Lucía! ¡Leonor! ¡Carlos! ¿Cómo están? ¿Cómo les va? ¡Si me parece que hacía un siglo que no los veía!

CARLOS: Apareció y dijo...

LEONOR Y LUCÍA: ¡Tanto gusto, Pepito! ¿Cómo le va? ¿Qué dice? ¿Sabe que está más delgado?

PEPITO: Así es: he perdido dos kilos; pero es mejor. Dicen que la gordura es guiñuda...

DON JUAN: Bueno, ya es hora de que me vaya.

LUCÍA: Te acompañamos hasta abajo.

LEONOR Y ELVIRA: Sí, sí, vamos.

DON JUAN: No, chicas, quédense ustedes con Carlos y Pepito... tenemos que conversar. Oye, Carlos, ¿por qué dijo el imbécil ese que esperaba lo del incendio?

CARLOS: Dijo que por pálpito...

DON JUAN: ¡Qué animal! Mucho juicio, ¿eh? ¡Veremos cómo se portan! *(Abrazos, etcétera.)*

LUCÍA: ¡Cuídate mucho y escribe pronto!

LEONOR: Recuerdos a don Felipe y a las muchachas.

PEPITO: Buen viaje y hasta la vuelta.

ELVIRA: Tráeme helechos de la sierra.

LUCÍA: De los de trencita, ¿sabes?

DOÑA CAMILA: Y a mí, hierba de la piedra.

DON JUAN: Bueno, bueno...

DOÑA CAMILA: No andes a caballo, ¡acuérdate del año pasado!

PEPITO: Sobre todo en caballo blanco, ¡mire que son como pararrayos para atraer la mala suerte!

DON JUAN: No hay cuidado, ¡adiós! *(Mutis don Juan y doña Camila.)*

TODOS: *(Acompanándolos hasta el foro.)* ¡Buen viaje! ¡Adiós!

ESCENA XVI
DICHOS, MENOS DON JUAN Y DOÑA CAMILA

LEONOR: Y a usted, Pepito, ¿cómo le ha ido estos días? *(Se sientan todos.)*

PEPITO: ¿A mí? ¡Muy mal! ¡Con una guiña bárbara!

LUCÍA: ¿Le ha ocurrido alguna cosa desagradable?

PEPITO: ¡Pero muchísimas! He estado preso... Con eso les digo todo.

ELVIRA: ¿Preso? ¿Y por qué?

CARLOS: A ver... cuente...

PEPITO: Ahora que no está la señora, se puede decir... Hace pocas noches, me llevó un amigo a una ruleta muy buena que había en la calle de Venezuela.

LUCÍA: ¡Qué escándalo!

PEPITO: Y ¿qué tiene? Vaya, si empiezan a escandalizarse por tan poco... no les cuento nada...

CARLOS: No, Pepito, siga, no haga caso.

LEONOR: Continúe, Pepito.

PEPITO: Bueno, voy y de entrada nomás me encuentro con un "jettatore"; es decir... hasta entonces yo sólo tenía sospechas de que fuese "jettatore"...

ELVIRA: ¿Y en qué le parecía?

PEPITO: En los ojos, en el pelo lustroso, en lo amable, ¡qué sé yo! En lo que se conoce a los "jettatores"...

LEONOR: No le interrumpan. Continúe, Pepito... y ¿qué más?

PEPITO: Empiezo a jugar y enseguida me convenzo. Durante dos horas no acerté una sola postura. De balde hacía todo género de combinaciones, ¡nada!, cada vez más negro, y el "jettatore" firme como un poste delante de mí... Varias veces estuve por interpelarlo, pero de miedo al escándalo, me callé. ¡Estos malditos suelen tener mal genio! Ya no sabía qué hacer. De pronto, se me ocurre una idea. Pongo cincuenta pesos a colorado y cincuenta pesos a negro. *(A Carlos.)* ¿Usted conoce la ruleta? ¡Es claro!, en esa forma no ganaba nunca nada; pero, por lo menos, cobrando de un lado, tenía la esperanza de quebrar la "jettatura". Largan la bola y... rumrum... ¡Cero! ¡Sale el cero, amigo, y pierdo todo! ¿Qué le parece? *(Risas.)* Para mejor, había creído verle una sonrisa burlona al "jettatore", cuando hice mi parada. ¡Y me dio mucha rabia! Entonces, desesperado y resuelto a recibir fichas de la caja de cualquier modo, pongo cincuenta pesos a colorado, cincuenta al negro y diez al cero. De esa manera no podía dejar de acertar alguna, ¿no es cierto? Pues miro de reojo al "jettatore"... ¡y el muy trompeta se estaba riendo! Ya le iba a decir una barbaridad, cuando sueltan la bola... y... rumrum... ¡la policía! ¡Cae la policía, amigo, y se apodera de todo! ¡Era la única forma posible de no cobrar nada! *(Todos sueltan una carcajada.)*

LEONOR: Y el "jettatore", ¿qué hizo?

PEPITO: Resultó que era oficial de policía... Entró a proceder enseguida... y el primero que agarró, fui yo... *(Risas.)*

LUCÍA: Y ¿lo llevaron?

PEPITO: ¡Ya lo creo que me llevaron! Y eso no fue lo peor.
¡El hombre no quería después soltarme, ni aun pagando
la multa!

CARLOS: ¿Por qué?

PEPITO: Porque aseguraba que yo debía de ser socio de la
casa, que me había estado viendo jugar y que no era
posible que nadie jugara así... ¡Pretextos y nada más!
¡De pura rabia que me tienen los "jettatores"!

ELVIRA: Y entonces, ¿qué hizo? *(Se siente la voz de doña
Camila.)*

LEONOR: ¡Silencio! ¡Ahí viene la señora!

DOÑA CAMILA: *(Se levantan todos.)* Ya va en viaje el pobre
Juan. ¡Quién sabe qué noche le hará, con tanto frío!...

PEPITO: La noche no es nada..., lo malo es el día...

CARLOS: ¿Cómo... el día?

PEPITO: ¡Martes, pues!

LEONOR: ¡Ay, es verdad! No nos habíamos fijado.

LUCÍA: Es cierto.

ELVIRA: ¡Cállese, hombre! ¡Vaya un placer en venir a darnos miedo!

PEPITO: Yo... digo, nomás.

DOÑA CAMILA: ¡Basta! No me haga entrar en aprensión a
mí también.

ESCENA XVII
DICHOS, DON RUFO; luego ÁNGELA

DON RUFO: ¡Ladrones! *(Desde el interior.)*

TODOS: ¿Cómo está? ¿Qué es de su vida? ¡Tan perdido! ¡Si
está más joven! ¡Qué bien, don Rufo!

DON RUFO: Vaya, al fin caras alegres... ¡Ya era tiempo!

DOÑA CAMILA: Es que encuentra usted la casa de fiesta, don Rufo.

DON RUFO: Pues no lo parece. He llamado más de veinte veces y nadie me ha sentido.

DOÑA CAMILA: ¿Qué se habrá hecho Ángela? ¡Qué mujer ésta!

LUCÍA: *(Riendo.)* Debe de estar con hipo...

LEONOR: ¡Entonces debe de estar en la azotea!

DOÑA CAMILA: Cómo... ¿en la azotea?

LEONOR: Sí, ese primo bombero que tiene le ha dicho que cuando le venga hipo, debe silbar contra el viento...

PEPITO: Entonces, será bueno...

LEONOR: Así parece.

PEPITO: Pues, no lo sabía.

DON RUFO: ¡Pero, si es natural, amigo! ¿A que no ha visto usted nunca un avestruz con hipo?

PEPITO: Yo, no...

DON RUFO: Pues, por eso: porque se lo pasan silbando el día entero...

PEPITO: ¡Oh, no embrome hombre! ¡Vea con lo que sale!

DON RUFO: ¿Y Juan, comadre?

DOÑA CAMILA: En la estancia... o, mejor dicho, en viaje para la estancia. Acaba de irse.

ESCENA XVIII
DICHOS Y ÁNGELA

ÁNGELA: *(Por foro.)* ¡Ahí está el señor don Lucas! *(Hipo.)*

DOÑA CAMILA: No... ¡que no entre aquí!

ÁNGELA: No, señora, si tampoco quiere entrar. Está en el escritorio. Me preguntó por el señor, y cuando supo que no estaba pidió hablar con usted.

Doña Camila: ¿Conmigo? ¡No, no! ¡Conmigo no va a hablar! ¡Dios me libre!

Don Rufo: Pero, comadre, ¿qué es esto?

Pepito: ¡Que lo echen los sirvientes! ¡Que lo maten, si es preciso! ¿Qué tiene que hacer ese miserable en esta casa? *(Caminando de un lado para otro.)*

Elvira: ¡Ay, mamá, por Dios!

Carlos: Calma, Pepito, calma. No hay para qué agitarse. Óigame tía. Con don Rufo nos encargamos de despedirlo, ¿quiere don Rufo?

Don Rufo: ¡Pero si no entiendo jota de lo que está sucediendo!

Carlos: Ya se lo explicaré todo.

Doña Camila: Hagan lo que quieran; pero lo que es yo no hablo con él.

Pepito: ¡Tantos miramientos con un simple "jettatore"! ¿Qué sería entonces con un hombre como los demás? *(Carlos saca un llavero.)*

Carlos: Vamos, don Rufo, toque, toque fierro...

Don Rufo: ¡No, mejor dame un garrote! Vamos... *(Mutis con Carlos, por izquierda.)*

Pepito: ¡No debe perderse tiempo! Enseguida que salga, hay que quemar benjuí para que desaparezca la "jettatura" que haya podido quedar en la casa.

Elvira: Yo tengo... voy a traer. *(Vase por derecha.)*

Pepito: Usted prepare un brasero con carbones encendidos, ¡pronto! *(Mutis Ángela, por foro.)*

Doña Camila: ¡Con tal de que no les pase nada a Carlos y a don Rufo!

Lucía: ¡Eso es lo que yo digo!

Pepito: ¡Necesitaría una toalla!

Leonor: ¡Yo voy! *(Vase por derecha.)*

Pepito: *(A Leonor, antes de que salga.)* ¡Empápela en agua caliente! *(A Lucía.)* ¡Es preciso que alguien se encargue de echar dos baldes de agua en el zaguán, para que se borren los pasos de la salida del "jettatore"!...

LUCÍA: ¡Le diré a la cocinera! *(Mutis por foro.)*

DOÑA CAMILA: ¿Qué más necesita?

PEPITO: ¿Tiene tiza en polvo?

DOÑA CAMILA: No sé...

PEPITO: ¿Y nuez moscada?

DOÑA CAMILA: Voy a ver. *(Vase por derecha.)*

PEPITO: Nuez moscada... tiza en polvo... ¡Caramba!, y me olvidaba de lo principal. *(Vase corriendo por foro.)*

ESCENA XIX

Entra Elvira por la derecha, con un paquete en las manos y sale por el foro. Entra Leonor por la derecha, con una toalla y sale por la izquierda. Entra Lucía por el foro y sale por la derecha. Entra doña Camila por la derecha llevando varios paquetes y sale por el foro. Entran simultáneamente Lucía por la derecha, y Leonor por la izquierda.

LEONOR Y LUCÍA: *(Al mismo tiempo.)* ¿Dónde están? *(Entra Ángela por foro y sale por derecha.)*

ÁNGELA: *(Al pasar.)* ¡Están en el fondo! *(Salen Leonor y Lucía por el foro. Entra Ángela y desaparece por el foro llevando un montón de objetos en los brazos, Elvira se deja ver en el mismo sitio reclamando que se apure y desaparece con ella.)*

CARLOS: *(Por izquierda.)* ¡Se acabó! ¡Ya se fue! ¡No hay nadie!

DON RUFO: ¿Dónde se habrán metido?

CARLOS: *(Riendo.)* Deben de estar adentro encerradas. Vamos a avisarles.

DON RUFO: *(Se sienta.)* Pero, decime... che, ¿era "jettatore", de verdad? ¿Estás bien seguro? *(Carlos se sienta.)*

CARLOS: ¡No sé, don Rufo! Lo único que le puedo afirmar es que, si antes no lo era, ahora está condenado fatalmente a serlo.

DON RUFO: ¿Cómo es eso?

CARLOS: Es muy fácil hacer un "jettatore", don Rufo; pero, una vez hecho, la rehabilitación es imposible...

DON RUFO: ¡Sabe que está lindo! *(Carlos se cae de espaldas con la silla donde está sentado.)*

CARLOS: *(Cuernos.)* ¡Y vaya usted a saber después si es o no "jettatore" don Lucas!

ESCENA XXI

Entra Pepito por el foro con delantal, llevando, ayudado por Ángela, un brasero humeante. Los siguen Camila, Leonor, Lucía y Elvira.

DOÑA CAMILA: ¡Ya está toda la casa libre de "jettatura"!

PEPITO: ¡Lo que es con esto, yo garantizo el resultado!

DON RUFO: ¡Aquí vamos a morir como ratones! *(Aparece don Juan, con la valija, por el foro.)*

Don Juan: ¡Aquí estoy yo!
Todos: ¿Eh?
Don Juan: ¡Perdí el tren!
Carlos: *(Encaramado en una silla.)* ¡El último colazo del "jettatore"! ¡Ahora podemos vivir tranquilos!

TELÓN RÁPIDO

Esta edición se terminó de imprimir en los talleres gráficos
G y G, Udaondo 2646, Lanús Oeste,
Provincia de Buenos Aires durante el mes de Junio de 2006

Esta edición se terminó de imprimir en los talleres gráficos
(C) G. Udaondo 2640 1440 Cap. Fed.
Provincia de Buenos Aires ... durante el mes de junio de 2009